L'HOMME SANS BRAS

Paul Féval

Copyright pour le texte et la couverture © 2023 Culturea
Edition : Culturea (culurea.fr), 34 Hérault
Contact : infos@culturea.fr
Impression : BOD, Norderstedt (Allemagne)
ISBN : 9791041835010
Date de publication : juillet 2023
Mise en page et maquettage : https://reedsy.com/
Cet ouvrage a été composé avec la police Bauer Bodoni
Tous droits réservés pour tous pays.

I

Quinze août – Allée des Veuves

Tanneguy ne savait pas trop au juste si la vieille métayère de Château-le-Brec, sèche et raide sous sa coiffe, était bien son aïeule. Au bourg d'Orlan, les bonnes gens l'appelaient tantôt Tanneguy Le Brec, tantôt le *petit Monsieur*. Pourquoi ce dernier nom, s'il était le fils d'une fermière ? Quant à cela, il ne s'était point fait faute de questionner à tort et à travers ; mais les bonnes gens du bourg n'en savaient pas beaucoup plus long que lui.

Douairière Le Brec n'était pas, d'ailleurs, une fermière à la douzaine ; elle portait des habits de paysanne en étoffe de soie. Tanneguy n'avait jamais été vêtu comme ses compagnons d'enfance. Certes, au milieu du Palais-Royal, tout plein de vainqueurs à breloques, les doigts passés dans la double fente de leurs pantalons de nankin à petit pont, les cheveux frisottés, les favoris roulés, le binocle énorme au creux de l'estomac, Tanneguy ne pouvait point passer pour un mirliflor ; mais il avait un pantalon flottant de toile écrue sur sa guêtre pareille et bien lacée ; une jaquette de velours nantais dessinait sa taille gracieuse et déjà robuste ; un ruban de laine réunissait, en façon de cravate, les revers rabattus de sa chemise blanche, brodée d'un fin liséré bleu. Pour coiffure, il avait un large chapeau de paille posé de côté sur les grosses boucles de ses cheveux. Et je vous affirme que ce costume-là, porté par Tanneguy, valait bien la toilette des nigauds à breloques.

Le plus grand miroir de Château-le-Brec n'avait guère plus d'un demi-pied carré. Tanneguy s'arrêta devant une des glaces qui décoraient la devanture du café de Valois et fut tout aise de se voir comme cela du haut en bas. Il se trouva de bonne taille, bien pris sur ses hanches, et un petit mouvement d'orgueil lui redressa la tête, quand, pour la première fois, il s'appliqua les paroles souvent saisies à la volée :

– Quel beau garçon !

Sans la glace hospitalière qui lui faisait faire inopinément connaissance avec lui-même, il n'eût jamais songé à prendre pour lui cette exclamation trop flatteuse. Dès qu'il l'eût prise pour lui, sa modestie s'éveilla brusquement, et dans un naïf embarras, il n'osa plus regarder ni la glace qui le faisait si beau, ni les dames qui allaient et venaient. Il pensait : « Que diraient-elles donc si elles voyaient mon frère Stéphane ! »

Il reprit sa marche, les yeux baissés et tout pensif. Ce nom de Stéphane changeait le courant de sa rêverie ; c'était son meilleur et son plus cher souvenir. Quand Tanneguy tournait son regard vers son enfance triste et toute pleine de bizarres terreurs, il ne voyait rien sourire, sinon deux visages rosés, couronnés de cheveux blonds bouclés : le visage franc et ami de Stéphane, qui lui avait dit adieu un jour en l'appelant son frère, et la douce figure de Marcelle, la fillette patiente comme un ange qui soignait douairière Le Brec et supportait ses durs caprices.

Hélas ! Marcelle ! devait-il jamais la revoir ?

Stéphane était, comme Tanneguy, orphelin de père et de mère. Il avait été élevé au moulin de Guillaume Féru. Tout le monde l'aimait au village. Il y a une attraction mystérieuse qui attire vers Paris ceux qui n'ont point de famille. Stéphane recevait parfois un peu d'argent d'une main inconnue. Un beau matin, il partit pour Paris.

– Si je fais fortune, dit-il à son frère Tanneguy, tu seras riche.

Or, quelques mois après, Tanneguy reçut une lettre de Stéphane, une lettre qui portait :

« Me voilà riche ! viens avec moi : je ne veux pas être heureux tout seul. »

Et voyez ! au reçu de cette lettre, Tanneguy était justement en train de faire son petit paquet pour quitter Château-le-Brec, parce que je ne sais quelle folie l'avait pris au cerveau. Il voulait aller par le monde pour retrouver celle qu'il avait entendue, agenouillée dans la vieille église et disant à Dieu : « C'est Tanneguy qui est mon frère ! »

Quand Tanneguy fit son paquet, douairière Le Brec lui dit : « Si tu veux rester, reste ; si tu veux partir, pars. » Depuis vingt ans qu'il vivait, Tanneguy n'avait jamais vu sourire le visage immobile de la vieille métayère.

Il l'appelait grand'mère, et cependant, quand il cherchait au fond de son cœur, il n'y trouvait point l'amour filial. Lui si bon, si jeune, si ardent à aimer ! À l'heure du départ, quand les gens de la ferme vinrent pour lui dire l'adieu, douairière Le Brec les éloigna durement. Comme Marcelle pleurait, douairière Le Brec la menaça de son bâton blanc à crosse.

– Pourquoi donc l'aime-t-on, celui-là ? s'écria-t-elle ; qui de vous pleurera quand je m'en irai ?

On la laissa seule avec Tanneguy. Elle lui mit dans la main dix pièces d'or et une lettre cachetée qui portait l'adresse de madame la marquise Marianne du Castellat, Allée des Veuves, à Paris.

– Si tu reviens, je ne te chasserai pas, dit-elle en lui montrant la porte ; si tu ne reviens pas, tant mieux !

Ce fut tout. Tanneguy partit avec son petit paquet au bout de son bâton. Il ne se retourna qu'une fois, au milieu de la lande, pour voir encore la Tour-de-Kervoz lever les dents inégales de ses créneaux au-dessus des grands saules. Son cœur se serra ; des larmes vinrent à ses yeux, puis il foula le sol d'un pas déterminé, donnant au vent les boucles de ses longs cheveux comme pour saluer la route sans bornes et l'avenir inconnu. Adieu, Marcelle !

Or, depuis quatre jours qu'il était parti de Château-le-Brec, les aventures semblaient se presser sur ses pas. Il avait déjà revu deux fois celle qui était peut-être sa sœur, puisqu'elle parlait de lui à Dieu dans sa prière. Elle était à Paris ! Paris a beau être grand, Tanneguy ne ressentait plus la tristesse de la solitude.

Tout en songeant ainsi, il avait traversé le jardin et se trouvait devant les arcades Montpensier. Il entendit dans la foule une voix qui le fit tressaillir ; la voix avait dit : –Regardez ! le voilà !

Tanneguy poussa un cri de joie et se retourna, car il était bien sûr d'avoir reconnu la voix de Stéphane ; il chercha devant, à droite, à gauche, et ne vit que des figures étrangères. Trois de ces figures, immobiles et groupées sous l'arcade qui lui faisait face, semblaient le considérer avec attention. Tanneguy les voyait à contre-jour et ne pouvait distinguer leurs traits, parce que la lumière qui était derrière eux éblouissait sa vue, et cependant un frisson courut par ses veines.

– Les *trois* Freux, murmura-t-il, ont-ils donc quitté la Tour-de-

Kervoz !

Malgré lui, son regard se baissa. Quand il releva les yeux vers l'arcade, dont le cintre encadrait les silhouettes des trois inconnus, l'arcade était vide. Tanneguy s'élança vers la galerie, car il avait honte du mouvement de frayeur qui laissait encore du froid dans ses veines. Les terreurs superstitieuses ont tort dans un lieu comme le Palais-Royal, tout plein de mouvement, de bruit et de clarté. Tanneguy s'attendait à trouver derrière les piliers de l'arcade les trois hommes qui ne pouvaient être bien loin ; il ne savait pas trop ce qu'il voulait leur dire ou leur faire, mais l'occasion était bonne et son instinct lui commandait de la saisir.

Il paraîtrait que les fantômes de Bretagne qui font le voyage de Paris ne perdent point la faculté de rentrer sous terre, suivant leur bon plaisir. Dans la galerie, Tanneguy n'aperçut que la foule remuante et pimpante.

Ce fut au point que Tanneguy gourmanda son imagination et crut avoir rêvé. En ce cas, le rêve continuait, car au moment où il haussait déjà les épaules, tant il se prenait lui-même en pitié, il put ouïr distinctement à son oreille les trois syllabes de son nom.

Il s'arrêta comme si une main l'eût saisi au collet. Les gens qui passaient durent s'étonner de voir ce beau garçon planté au milieu de la galerie, l'œil fixe, la joue pâle et la tête rentrée entre les épaules comme s'il eût attendu un coup de foudre.

Une douce voix avait prononcé son nom. Valérie était là, Tanneguy le savait, et quand il tourna la tête, ce fut avec la certitude d'apercevoir sa blanche vision de l'église d'Orlan.

Il ne se trompa pas tout à fait ; néanmoins, il faut bien dire que les visions perdent quelque chose de leur poésie dans la capitale du monde civilisé. Au lieu de cette ondine blanche que Tanneguy avait vue prosternée au tombeau de Treguern, il entrevit, à travers la foule, une mantille noire qui cachait à demi la taille de la sylphide, dont le visage disparaissait entièrement derrière les ailes de son chapeau.

Elle marchait auprès d'un jeune homme de haute taille, qui avait une tête fine et charmante, coiffée de grands cheveux blonds.

– Stéphane ! cria Tanneguy en étendant les mains vers eux, Valérie ! mon frère et ma sœur !

Le jeune couple venait de s'engager dans un de ces passages étroits qui conduisent de la galerie à la rue de Montpensier. Tanneguy s'y précipita comme un fou. Le passage était déjà vide, mais Tanneguy put encore entendre comme l'écho des derniers mots prononcés au détour de la rue. Ces derniers mots étaient : *Quinze août, Allée des Veuves.*

Tanneguy traversa la rue de Montpensier en courant, monta quatre à quatre l'escalier de la rue Richelieu et arriva sur le trottoir juste à temps pour voir partir au galop une élégante voiture fermée. Tanneguy avait de bonnes jambes ; comme il était convaincu que la voiture emportait ceux qu'il cherchait, il prit sa course.

La voiture brûlait le pavé de la rue Saint-Honoré ; tout ce que pouvait faire Tanneguy, c'était de ne la point perdre de vue. Après trois quarts de lieue de marche, la voiture s'arrêta quelque part, dans le quartier de la Pépinière, devant un hôtel de bonne apparence ; Tanneguy fit un dernier effort et s'approcha tout essoufflé de la portière au moment où un laquais en livrée abaissait le marchepied ; son âme était dans ses yeux. Il vit descendre une grosse dame qui portait un chien mouton entre ses bras.

Tanneguy faillit tomber à la renverse ; la première pensée qui lui vint fut qu'il y avait là quelque diabolique transformation : la vieille dame était peut-être Stéphane et le chien mouton la mystérieuse jeune fille des saules. Pendant qu'il essuyait son front baigné de sueur, la grosse dame dit à son laquais :

– Allée des Veuves ! M. de Feuillans me ramènera.

La porte de l'hôtel se referma sur le chien mouton et sa maîtresse ; la voiture s'en alla au petit trot.

– Allée des Veuves ! répétait notre Breton qui cherchait à mettre de l'ordre dans ses pensées.

Puis, il ajouta :

– C'est là que je dois porter la lettre de douairière Le Brec.

Machinalement, son regard se fixait sur les murailles de l'hôtel ; sur les murailles de l'hôtel, il y avait un nid d'affiches de théâtre. Tanneguy n'y vit rien d'abord, mais ses yeux, qui restaient cloués à son insu sur les dix ou douze carrés de papier, assemblèrent enfin les lettres, et soudain la même date, inscrite en tête de toutes les affiches, frappa dix ou douze fois son regard :

– Quinze août ! Quinze août ! Quinze août !

Chaque théâtre avait fait une belle affiche pour le jour de l'Assomption, mais Tanneguy ne connaissait point les habitudes des théâtres, et cette date qui papillotait de toutes parts autour de ses yeux, lui donna comme un vertige. Il demanda le chemin de l'Allée des Veuves à un passant et continua sa route.

Une demi-heure après, il errait sous les arbres des Champs-Élysées. Il avait dépassé sans le savoir l'entrée de l'Allée des Veuves, et se trouvait maintenant dans les bosquets qui avoisinent le Cours-la-Reine. C'était alors, une fois la nuit tombée, un véritable désert. Il n'y avait rien là de ce qui existe aujourd'hui : ni les jardins anglais, ni les cafés chantants, ni le Panorama, ni les maisons du quartier François Ier. L'allée d'Antin elle-même n'était guère qu'une avenue plantée d'arbres, bordée de jardins et de villas. Le long du Cours-la-Reine et dans l'avenue de l'Étoile, des réverbères fumeux pendaient de place en place et semblaient augmenter l'obscurité profonde qui régnait à l'intérieur des massifs.

Tanneguy marchait à grands pas, et la fièvre le tenait déjà, car les ténèbres agissaient sur lui d'une façon singulière. Au milieu même de ce grand Paris, où respiraient alors déjà huit cent mille poitrines, un frisson courait dans ses chairs comme aux heures où l'écho de son propre pas l'effrayait jadis sur la lande solitaire, comme aux heures où la sueur froide le baignait dans sa couche, lorsqu'il entendait, à travers l'épaisse muraille de Château-le-Brec, ces trois voix surhumaines qui semblaient monter des profondeurs de la Tour-de-Kervoz, parlant de meurtre passé, de vengeance future. Tout à coup, il s'arrêta, frappé de stupeur.

– Nous sommes au quinze août, dit une voix dans le noir.

– Et la journée n'a plus que deux heures, ajouta une autre voix.

Une troisième voix reprit :

– Il faut qu'avant minuit l'argent soit chez l'Anglais.

Tanneguy connaissait toutes ces voix, pour les avoir ouïes au bourg d'Orlan. C'étaient les terreurs nocturnes de son enfance qui s'attachaient à ses pas. Son regard essaya en vain de percer les ténèbres.

– L'Anglais aura la somme, reprit la première voix, car il faut que l'enfant soit riche comme un prince !

– Il aura la somme au prix d'un meurtre ! continua la seconde voix.

– Comme toujours ! acheva sourdement la troisième.

Tanneguy crut voir entre les arbres un mouvement confus. Et presque au même instant, ce mot d'ordre mystérieux, qui semblait venir du ciel pour annoncer la présence d'un ange, résonna doucement à son oreille ; il entendit son nom prononcé comme en un murmure : – Tanneguy ! Tanneguy ! Tanneguy !

Une femme passa en courant dans l'allée voisine ; elle avait la tête nue, et ses cheveux bouclés flottaient au vent. Elle dit encore :

– Venez !

Il y avait des larmes dans sa voix. Tanneguy fit effort pour la suivre ; mais ses jambes chancelaient sous le poids de son corps.

La jeune fille disparut dans une sorte de ruelle obscure qui s'ouvrait sur le plan de l'avenue d'Antin, un peu au-dessus de l'embouchure actuelle de la rue Jean-Goujon. Tanneguy la perdit de vue. Il s'engagea néanmoins à son tour dans la ruelle, qui était tortueuse et bordée par des jardins. Il lui semblait toujours entendre comme un écho qui répétait : Venez ! venez ! Tanneguy ! Tanneguy !

En même temps une harmonie vive et douce chantait au loin derrière les massifs de lilas. La ruelle tournait. À mesure que Tanneguy avançait, une lueur se faisait au-devant de lui, et entre les branches des arbres, il apercevait comme un grand éclat. Et l'harmonie se rapprochait.

À un coude de la ruelle, ses yeux furent éblouis tout à coup par une sorte de rampe lumineuse ; la musique était là, tout près, derrière un mur, et jouait une valse. On entendait comme un concert d'entretiens joyeux et d'éclats de rire.

L'endroit où se trouvait Tanneguy était une sorte de petite place triangulaire où finissait la ruelle. Un des côtés du triangle, sans issue apparente, était formé par un jardin couvert de pots-à-feu et de lampions ; ce mur soutenait une terrasse qui était déserte en ce moment parce que la danse occupait tous les couples de la fête. Le second côté du triangle était l'entrée de la ruelle. Le troisième côté, fermé par une grille, munie de persiennes, avait à son milieu une porte à deux battants, qui était fermée.

Derrière cette clôture, on apercevait à la lueur des lampions une gentille maison de plaisance, qui n'était point celle où la fête se donnait. Mais c'est à peine si Tanneguy se rendait raison de tout cela. Où donc était Valérie ? Il n'y avait là aucune issue. Par où Valérie avait-elle passé ?

Tanneguy interrogea de l'œil tour à tour le mur illuminé du grand jardin et la clôture en persiennes de la blanche villa. Comme il avait les yeux tournés de ce dernier côté, il vit la porte s'entr'ouvrir avec lenteur ; un homme parut debout sur le seuil. Il se présentait à reculons. Était-ce encore un rêve ? Il y avait une main robuste et noire qui tenait cet homme par le cou ; la main lâcha prise et se retira brusquement ; la porte fut fermée, l'homme tomba comme une masse à la renverse.

Dans sa chute, le manteau qu'on avait disposé de manière à cacher ses traits se dérangea ; la lumière de la rampe vint frapper en plein sa figure inondée de cheveux blonds. C'était un beau jeune homme qui semblait avoir dépassé depuis bien peu de jours la vingtième année.

– Stéphane ! mon frère Stéphane ! balbutia Tanneguy, dont les genoux fléchirent.

Il voulut mettre la main sur le cœur de son ami et la retira rouge de sang. Un cri d'horreur s'étouffa dans sa poitrine. Dans le jardin voisin, les mille bruits de la fête éclataient en gerbes : voix joyeuses, rires fous, suaves harmonies.

Tanneguy fit un effort suprême pour retenir sa raison qui s'en allait ; ses yeux se voilèrent. Il tomba privé de sentiment auprès du corps inanimé de Stéphane.

II

Récits et traditions

On croyait aux revenants dans le cercle de madame la marquise du Castellat.

En cette année 1820, la noblesse donnait un peu dans le libéralisme naissant. La marquise était folle du jeune libéralisme, et le roi de ses salons, le lion de ses fêtes, M. Gabriel de Feuillans, un libéral très avancé, était un esprit fort, un philosophe, presque un athée, mais il croyait aux revenants.

On le cotait très haut, ce beau Gabriel de Feuillans, dans le cercle de madame la marquise ; chacun disait comme lui ; pour l'amour de lui, on poussait volontiers le scepticisme jusqu'à la négation de Dieu ; – mais on croyait aux revenants. C'était la mode.

La marquise du Castellat habitait une maison isolée et d'aspect mélancolique, située dans l'Allée des Veuves, vers remplacement actuel de la rue Bayard. La maison de la marquise n'avait pas sa façade sur l'Allée des Veuves ; elle était située entre deux jardins dont le premier servait de cour. Une grille monumentale dressait ses hampes dorées des deux côtés d'un portail Louis XV. Entre le portail et l'hôtel, un labyrinthe égarait ses routes savamment détournées, montrant, çà et là, des statues blanches qui semblaient jouer à cache-cache derrière les charmilles. L'hôtel était également de style Louis XV, mais nu et sans ornements. Il y avait quelque chose de triste dans l'aspect de cette grande maison blafarde qui s'élevait toute seule au milieu des vieux arbres et présentait de loin au regard la perspective de ses croisées closes.

Au delà de la maison, un parterre immense rejoignait des bosquets plantés à la française, à l'extrémité desquels s'arrondissait un vaste salon de verdure. Puis c'étaient, autour du salon de verdure, des voûtes ombreuses, des chaumières en ruine copiées dans les tableaux de Watteau, et des grottes, ah ! des grottes, superbes, à stalactites !

Le tout se terminait par une terrasse qui donnait sur cette place triangulaire et déserte où avait eu lieu la catastrophe qui termine notre dernier chapitre.

Il y avait des fêtes très brillantes à l'hôtel du Castellat, surtout pendant la saison d'été. La mode avait adopté ces fêtes. La marquise, et ce n'était pas sa moindre gloire, passait pour être la confidente intime de Gabriel de Feuillans, l'homme étincelant et à la fois sérieux, profond et séduisant au suprême, qui avait l'auréole des « amis du peuple », comme on parlait encore alors, qui passait pour un des mogols du carbonarisme et que son audace heureuse allait bientôt faire plus riche qu'un prince des contes de fées. Mais, malgré la splendeur des fêtes de la marquise et malgré la vogue que Feuillans fixait dans ses salons, il y avait autour de sa maison je ne sais quoi de morne : une douleur ou une menace.

Le temps était aux choses vaporeuses ; Lamartine accordait sa lyre mélancolique. Chateaubriand chantait la funeste agonie de René, Byron sculptait dans une nuée d'orage des héros inconsolables. Le succès était au noir.

Beaucoup pensaient, quelques-uns même disaient, en riant du bout des lèvres, qu'il y avait dans cette demeure un mystérieux élément de deuil.

Le hasard, il faut l'avouer, se faisait le complice de ces rumeurs, et il ne se passait guère de saison sans que, par une porte ou par l'autre, la tragédie ne vînt se jeter, chez la marquise, à la traverse du plaisir. Les histoires ne manquaient pas : la jeune sœur de la marquise, Laurence de Treguern, était morte subitement le jour de l'Assomption, une semaine avant le 22 août 1817, jour fixé pour son mariage. Le marquis du Castellat avait mis, dit-on, dans la corbeille, des diamants qui ne furent point retrouvés et qui avaient une valeur de plus de cent mille francs.

On racontait d'étranges détails sur la fin du marquis de Castellat lui-même. Ce vieux gentilhomme n'avait point de plus cher ami que M. de Feuillans. Un soir de l'année suivante, c'était un 15 août, M. le marquis mit toute sa maison sur pied, parce qu'un vol important avait été commis dans son cabinet. On l'entendit à plusieurs reprises répéter : « Je connais le malfaiteur. »

Le lendemain, M. le marquis fit atteler de bonne heure et ordonna qu'on le conduisît au parquet, afin de déposer sa plainte. Mais il n'accomplit point ce dessein parce qu'il fut frappé, en route, dans sa voiture même, d'une attaque mortelle, pour laquelle les médecins trouvèrent un nom.

Il y avait sur l'hôtel du Castellat bien d'autres histoires. La marquise actuelle était de cette antique race de Treguern, dont le nom écrit déjà tant de fois dans ces pages était légendaire en Bretagne, et défrayait les veillées villageoises de Vannes jusqu'à la Roche-Bernard.

Il n'est pas rare de voir ces chevaleresques maisons perdre leur origine dans la féerie. Tout le monde connaît la sirène de Lusignan et l'esprit follet de Rieux. L'idée surnaturelle que réveillait chez les paysans morbihannais le nom de Treguern était d'un genre moins gracieux : ce n'était pas une fée aux gentils caprices qui se jouait dans les armoiries de Treguern, ce n'était pas un lutin léger battant à minuit les eaux du grand étang : c'était la fièvre effrayante des morts qui ne peuvent dormir dans leur cercueil ; et c'était cette double vue sinistre qui permet de lire d'avance l'heure du trépas sur le cadran de l'avenir.

Il n'y avait pas de marbre assez lourd pour retenir Treguern en sa tombe, et Treguern avait le don redoutable de voir la mort au moment où elle allait se glisser derrière sa victime sans défiance : Au bal et à l'église ! en forêt, quand le cor joyeux jetait à l'écho sa fanfare ; autour de la table des festins, partout ! On savait cela, et plus d'un homme fort tremblait quand tombait sur lui le regard de Treguern, prophète.

Et c'était une chose bien étrange que la façon même dont s'opérait cette double vue. Quand un Treguern se trouvait en face de celui qui devait mourir, un voile noir, semé de larmes blanches, s'étendait entre eux deux. Ce fait extraordinaire était consacré par les émaux mêmes de l'écusson de Treguern, écusson si lugubre que madame la marquise du Castellat n'avait point voulu l'accoler, sur ses équipages, aux armoiries de feu son époux. Le Madre de Treguern portait *de sable semé de larmes d'argent*, « qui est le drap mortuaire », ajoute l'armorial de Pontivy.

On rencontrait assez souvent, à l'hôtel du Castellat, un bonhomme aux mœurs bizarres, qui passait pour avoir l'esprit un peu affaibli et qui était le dernier mâle du nom de Treguern. C'était le commandeur Malo, que nous avons vu arriver de Bretagne dans la même voiture que Tanneguy et M. Privat, et qui apportait avec lui ces trois grandes caisses de bagages. Certaines gens regardaient le commandeur Malo comme un fou inoffensif. À d'autres gens le commandeur Malo faisait peur.

Il étudiait beaucoup à sa manière et possédait la plus belle bibliothèque de grimoires qui se puisse imaginer. Il avait voyagé. La Hongrie, la Moravie, la Silésie et la Pologne lui avaient montré leurs vampires ; il connaissait ce cimetière de Kadam, en Bohême, où l'on est obligé d'enchaîner les cadavres pour les empêcher de se ruer sur les vivants. Il avait vu, à Belgrade, les œufs de coq qui contiennent des serpents. La chiromancie, l'alectromancie, l'hydromancie et la divination par l'argent en fusion lui étaient familières. Il savait tout ; il avait tout vu, et il disait qu'il n'avait rien vu de pareil au spectacle d'une nuit de la Toussaint passée sur la lande de Carnac en Bretagne !

Dans ses voyages, il faisait collection de fragments de pierres tumulaires. L'appartement qu'il occupait à l'hôtel du Castellat était tout plein de ces collections auxquelles les trois caisses venues de Bretagne avaient réuni leurs richesses.

C'était un homme d'un âge avancé déjà, extrêmement doux de caractère ; il était timide plus qu'un enfant, et l'on avait bien de la peine à lui faire ouvrir la bouche devant une nombreuse assemblée. Mais, quand il parlait, c'était terrible, et la marquise avait de lui une frayeur superstitieuse.

Si, parmi les hôtes de l'hôtel du Castellat, nous avons parlé d'abord du pauvre commandeur Malo, c'est à propos de la tradition du voile noir semé de larmes blanches et de l'écusson des Treguern. Le don traditionnel de seconde vue avait joué, en effet, un rôle dans la vie du commandeur.

Trente-cinq ans avant l'époque où va se renouer notre drame, le commandeur était un joyeux jeune homme, qui ne songeait guère à quitter le monde. C'était un soir d'automne, dans cette grande métairie demi-ruinée que nous connaissons déjà sous le nom de Château-le-Brec. Un festin modeste et frugal, festin de fiançailles pourtant, se célébrait à la métairie. La fiancée était une belle jeune fille qui avait nom Catherine Le Brec de Kervoz ; le fiancé, tout jeune et tout heureux, était Malo Le Mâdre, cadet de Treguern. Celui-là eût ri de bon cœur, si quelqu'un lui avait dit que, quinze jours après, il ferait vœu de célibat pour entrer dans l'ordre de Malte.

Le dîner fini, on dansa sur l'aire, Catherine et Malo étaient ensemble ; tout à coup, on vit Malo chanceler. Il quitta brusquement sa fiancée.

– Où vas-tu ? lui demanda-t-on.

– Chercher Dieu, répondit-il.

Et il se traîna jusqu'à la paroisse en pleurant.

– Recteur, dit-il, allumez les cierges pour Catherine Le Brec qui va mourir !

Il revint à la ferme où Catherine l'attendait, fâchée de son absence :

– Catherine ! Catherine ! s'écria-t-il, dépouille ces habits de fête. Tu as le temps de te confesser et de donner ton âme à ton maître.

Elle était loin, la joie du repas des fiançailles. Après le premier moment d'étonnement, un murmure courut parmi les parents et les amis. On disait :

– Malo a vu le voile de Treguern !

Et Catherine, toute pâle, vint lui prendre les deux mains.

– Est-ce vrai, Malo, demanda-t-elle en tremblant, est-ce vrai que tu as vu entre toi et moi le voile de Treguern qui annonce la mort ?

Le prêtre arrivait sur le seuil.

– Vite ! vite ! s'écria le jeune homme, au lieu de répondre. Confesse-toi, Catherine ma bien-aimée ! la mort n'attend pas !

Catherine s'agenouilla au côté du prêtre. Quand elle eut fini de se confesser, une goutte de sang rougit sa lèvre ; elle se tourna vers son fiancé en disant : « Merci ! », puis elle mourut d'un anévrisme qui venait de se rompre.

L'ordre de Malte recevait encore des professions. Malo porta le deuil de son bonheur sous la robe des novices de Malte. Quand l'ordre fut dispersé, Malo était commandeur. Il n'avait pas désiré la liberté ; la liberté pesa sur lui comme un fardeau, il revint en Bretagne où sa famille luttait contre l'adversité. Douairière Le Brec lui permit de s'arranger un abri dans les décombres de la Tour-de-Kervoz. Malo passa là plusieurs années ; sa nouvelle demeure n'était pas faite pour guérir l'exaltation de son esprit. Il se séquestra entièrement, et s'enfonça de plus en plus dans les espaces du monde imaginaire. Les paysans avaient presque oublié les traits de son visage, car il ne sortait jamais le jour ; mais si, parfois, dans la lande d'Orlan, sous les saules du pâtis de Treguern ou le long des murs du cimetière, on voyait glisser dans les nuits sans lune, lentement et silencieusement, une grande forme noire, chacun savait bien que c'était le commandeur de Malte.

Douairière Le Brec, qui n'avait peur de personne, aurait jeûné toute une journée plutôt que de ne lui point porter à manger dans sa tour.

Dans la nuit du quinze août de la première année de ce siècle, on entendit des coups de feu sur la lande. Depuis le coucher du soleil jusqu'à l'aube, on vit briller une lueur faible aux meurtrières de la Tour-de-Kervoz. Il y avait déjà longtemps que les paysans disaient que le commandeur Malo n'habitait pas seul dans sa tour.

Ceux qui traversèrent les premiers la lande d'Orlan, le lendemain, trouvèrent une mare de sang tout au fond d'un ravin. Le commandeur Malo, bravant cette fois les rayons du jour, s'en vint jusqu'à la lisière du bois avec une hache sur l'épaule et coupa un jeune arbre. Avec l'arbre, il fabriqua une croix grossière, et il planta la croix au milieu de la mare de sang. Le lecteur connaît l'histoire.

À dater de ce jour, aucune lueur ne brilla aux meurtrières qui donnaient de l'air et du jour à la retraite du commandeur Malo.

Nous parlons de vingt ans, et madame la marquise du Castellat s'appelait alors Marianne de Treguern.

III

Le commandeur Malo

À l'époque où le commandeur Malo vivait en loup-garou dans la Tour-de-Kervoz, Filhol de Treguern était un jeune homme, robuste de corps et sérieux d'esprit. Les malheurs de sa maison n'avaient rien laissé en lui de la gaieté de la jeunesse. Il avait épousé une fille noble, ruinée comme lui, et sa femme l'avait déjà rendu père. Filhol disait souvent qu'il donnerait la moitié de son sang pour ramener l'aisance au manoir de Treguern, qui bientôt n'allait plus être qu'un amas de décombres ; mais c'étaient des paroles ; il ne faisait rien pour sortir de sa misère et attendait l'heure de la ruine, drapé dans son découragement.

Tout à coup, on le vit changer d'allures : le *cloarec* Gabriel venait d'arriver dans le pays ; Filhol se lia d'amitié avec lui et franchit, à cause de lui, pour la première fois, le seuil du château Le Brec, où vivait l'ennemie de sa race.

Jusqu'à cette heure, Filhol avait aimé tendrement Geneviève, sa femme. Il n'est point de misère complète avec la paix de la famille, et en un petit coin de son cœur, Filhol était heureux. Un jour, Geneviève, la pauvre enfant dévouée, avertit Filhol de ce qui se disait dans le bourg, au sujet de Gabriel et de Marianne. Pour la première fois de sa vie, Filhol se fâcha et rudoya sa femme, et bientôt Gabriel fut plus maître que lui-même au manoir.

Quand ils se promenaient ensemble, on les voyait échanger des paroles animées, discuter toujours avec chaleur et consulter de grandes feuilles de papier imprimé qu'ils étendaient sur le gazon pour les lire plus à l'aise. Le sacristain trouva un matin une de ces feuilles, oubliées sur la lande. Il y porta les yeux et vit avec effroi que ce n'était ni du français, ni même du latin. Quatre mots seulement, imprimés en gros caractères, étaient compréhensibles au bas de la feuille déchirée :

ASSURANCE SUR LA VIE

Nous connaissons cette feuille, apportée de Redon par Gabriel. Nous savons qu'elle contenait le prospectus du *Campbell-Life*. J. F. Campbell, esq., un Écossais philanthrope, venait d'inventer, à la fin du dernier siècle, sous le nom de *Regulated annuities on survivorship* (tontines régularisées), ce jeu de la vie et de la mort qui, de nos jours, en Europe, remplit les caisses de cent opulentes compagnies. J. F. Campbell mourut trente fois millionnaire.

Pendant que le sacristain lisait, il entendit derrière la haie Filhol et Gabriel, qui sans doute causaient, les pauvres jeunes fous, d'avenir brillant et de fortune immense.

L'avenir, pour Gabriel, c'était d'être vicaire dans quelque cure de campagne, si l'Église clairvoyante ne le chassait de son sein ; pour Filhol, c'était de mourir de faim dans son noble taudis, le sacristain savait cela.

Et ils parlaient de cent mille francs !

Ce jour-là même, Filhol se rendit à Redon et engagea sa dernière pièce de terre pour avoir une petite somme d'argent. Quand il eut la somme, au lieu de revenir au manoir, il s'embarqua à bord d'un chasse-marée qui chargeait pour les côtes d'Angleterre. Avant de partir, il écrivit à sa femme une lettre qui semblait dictée par l'ivresse.

« Je veux être riche, disait-il, je le serai ; à mon retour nous serons tous heureux. Ayez confiance en Gabriel, mon ami et notre bienfaiteur... »

Geneviève tourna ses yeux pleins de larmes vers le berceau où dormait la petite Olympe ; Marianne, au contraire, frappa ses mains l'une contre l'autre, folle de joie qu'elle était déjà. Laurence, la jeune sœur de Filhol, se prit à balancer le berceau d'Olympe en riant et en disant :

– Quand nous serons bien riches, Olympe aura une brassière neuve !

Un matin, pendant l'absence de Filhol, le commandeur Malo quitta sa tour et vint au manoir. Il mit ses deux mains sur les épaules de Gabriel et le considéra longuement.

– Oh ! oh ! dit-il avec surprise, jeune homme, c'est donc vous qui ferez tout cela !

Il n'était pas toujours facile de saisir le sens des paroles du commandeur.

– Bonjour, mes nièces, reprit-il ; j'ai vu cette nuit mon neveu Filhol qui court après le bonheur.

– Cette nuit ! répéta Geneviève toute tremblante d'espoir, il est donc bien près d'ici ?

Les regards du commandeur semblaient errer dans le vide.

– Il est bien loin ! répliqua-t-il, là-bas... au-delà de la mer ! Il a fait une chose que jamais Treguern ne fit avant lui : il ment !

Il lâcha Gabriel pour aller prendre la main de Geneviève qui pleurait.

– Vous êtes la meilleure, madame la comtesse de Treguern, lui dit-il d'un ton sérieux et affectueux ; vous ne cesserez jamais d'aimer... Quand votre fils verra le jour, regardez bien ses traits pour être sûre de le reconnaître !

– Mon fils ? répéta Geneviève étonnée.

Au lieu de continuer, le commandeur donna une caresse à la petite Olympe dans son berceau, en ajoutant à demi-voix :

– Belle et heureuse... Mademoiselle ma nièce, reprit-il en saluant Marianne avec cérémonie, êtes-vous Le Brec ? êtes-vous Treguern ? Je cherche la couleur de votre cœur. Vous serez riche !

Laurence écoutait. Il se pencha vers elle et lui mit un baiser sur le front en prononçant ces paroles :

– Malheureuse et belle !

Puis il revint vers Gabriel qui faisait effort pour garder bonne contenance :

– Toi, dit-il, tu as regardé la couleuvre changer de peau. Fils de sorcière, traître à Dieu, l'habit des saints te brûle ! Malheur à celui qui t'ouvrit la porte du manoir de Treguern ! Filhol est un homme ; s'il te tue avant le quinze août de l'an qui vient, il verra grandir sa fille et connaîtra son fils !

Gabriel était tout pâle, bien qu'il tâchât de sourire. Le commandeur Malo le regarda encore, puis il tourna le dos et passa le seuil sans ajouter un mot. Après son départ, Gabriel ne resta point au manoir. Il regagna le presbytère en prenant le chemin le plus long, et tout en allant au hasard par les taillis et les guérets, il se répétait à lui-même :

– Là-bas ! bien loin ! une chose que jamais Treguern ne fit avant lui ! Le regard de cet homme peut donc traverser la mer et percer l'enveloppe qui recouvre le cœur ! Et moi ! et moi ! ajoutait-il avec un frisson ; n'a-t-il pas parlé comme si son œil eût sondé ma conscience ?

Il s'arrêta au sommet de la montée qui domine le bourg d'Orlan. C'était une belle journée de printemps ; le paysage souriait au loin sous les rayons du soleil : un paysage de Bretagne à l'horizon voilé par la vapeur diaphane, aux grandes forêts sombres qui s'avancent dans la plaine comme des promontoires dans la mer, aux landes rases comme un feutre, perdant au loin leurs nuances rosés et bleues. Gabriel essuya la sueur de son front et respira fortement, car il avait la poitrine oppressée. Son regard embrassa le paysage ; il vit les forêts au penchant de la montagne, les prés verts au fond de la vallée, où vingt ruisseaux égaraient le ruban argenté de leurs cours ; il vit les moulins déployer au vent leurs longues ailes, les fermes aux toits de chaume qui lançaient vers le ciel la joyeuse fumée de leur âtre ; il vit les riches guérets et les troupeaux immenses, cherchant au bord de l'eau l'herbe plus fraîche, et faisant à la rivière comme une frange mouvante.

Puis ses yeux tombèrent sur son vêtement usé.

– La nature est bien belle ! pensa-t-il.

Puis il ajouta, tandis qu'un sourire sceptique naissait parmi le trouble de son visage :

– Bien belle pour celui qui peut se dire : Elle est à moi, je suis son maître ! Ces forêts majestueuses m'appartiennent, moi seul y puis courre le cerf ou chasser le chevreuil ! Ces moulins qui animent le paysage sont mes tributaires ; ces guérets mûrissent pour moi la moisson ; tous ces ruisseaux sont là pour fertiliser mes terres, pour donner à boire à mes troupeaux. Ma vue est perçante et l'horizon est vaste : si loin que s'étend ma vue et que l'horizon se recule, tout ce que je vois est mon domaine !

Sa tête s'était redressée et un éclair jaillissait de son regard.

– Mais Dieu ! murmura-t-il tandis que son front pâle se voilait de nouveau.

Son regard glissa comme malgré lui vers la petite église d'Orlan dont le clocher modeste semblait protéger le village. Autour de l'église le cimetière étendait sa verte ceinture.

– Dieu ! répéta le *cloarec* dont les mains froides se pressaient contre ses tempes brûlantes, et la mort !

Il resta un instant immobile ; puis sa tête révoltée secoua les boucles de ses longs cheveux.

– L'éternité est plus longue que la vie, dit-il en prenant le livre d'église qui était sous son aisselle, mais la vie vient avant l'éternité !

Il y avait maintenant en lui une sorte de fièvre, et il ouvrit le livre d'un geste convulsif.

– À droite pour l'éternité, à gauche pour la vie ! s'écria-t-il comme font les enfants qui jouent à la plus belle lettre.

Il fut obligé de regarder à deux fois, car sa vue était troublée. À droite il y avait le mot *Requiem*, à gauche il y avait le mot *Loetare*.

– La vie a gagné deux fois ! s'écria le séminariste. *L* contre *R* ! joie et fête contre repos et mort ! Merci, mon paroissien.

Il referma le livre et descendit la colline en courant. Derrière la haie d'ajoncs, à quelques pas de la place qu'il venait de quitter, une tête étrange se dressa : une figure maigre et longue, encadrée dans les mèches d'une épaisse chevelure grise.

C'était une vieille femme, portant un costume de paysanne en soie noire. Elle regarda Gabriel qui dévalait la colline. Elle étendit vers lui le bâton blanc à crosse qu'elle tenait à la main.

– Joie et fête ! répéta-t-elle, à toi qui es mon sang, Le Brec ! Le Brec ! à Treguern, repos et mort !

Quand Filhol de Treguern revint au manoir, il n'avait point l'air d'avoir fait fortune. Ses habits étaient râpés un peu plus qu'au départ ; son teint était plus hâve, sa mine plus maigre. Dieu sait que Geneviève, sa femme, le trouvait beau comme il était ; mais la demi-sœur Marianne lui demanda dès l'arrivée : « Eh bien, frère, sommes-nous riches ? » Filhol répondit : « Patience ! » et quand Gabriel vint au manoir il lui cria, de loin, par la fenêtre : « Tout va bien ! »

Filhol et Gabriel s'enfermèrent et restèrent ensemble jusqu'au milieu de la nuit. Marianne essaya bien de savoir un peu ce qu'ils disaient, car elle était curieuse comme une jeune fille qui doit devenir marquise et Parisienne, mais Filhol et Gabriel s'entretenaient à voix basse.

Nous allons dire maintenant ce qui se passa, tout uniment et sans commentaires. Une semaine s'était à peine écoulée depuis le retour de Filhol lorsqu'il tomba tout à coup dangereusement malade. Au bout de trois jours, le mal avait fait des progrès tels que tout espoir de guérison était perdu. Le médecin du canton, qui n'était pas de première force, après avoir ordonné les sangsues et l'émétique, déclara que l'art humain était impuissant contre le sort. Filhol, bel et bien condamné, demanda qu'on le laissât seul avec Gabriel, son ami.

Ce pouvait être le dernier vœu d'un chrétien, puisque Gabriel se destinait à être d'Église. Marianne et Laurence se retirèrent ; la pauvre Geneviève les suivit, suffoquée par ses sanglots. Une heure après, Gabriel sortit de la chambre en tenant un mouchoir sur ses yeux et en disant : « Mon pauvre ami a rendu le dernier soupir ! »

Geneviève faillit tomber morte, car elle aimait son mari tendrement ; Laurence resta comme frappée de la foudre, et Marianne, elle-même, répandit quelques larmes : pas beaucoup.

Il est d'usage, au bourg d'Orlan comme ailleurs en Bretagne, de faire la veillée publique dans la chambre du mort ; mais Filhol de Treguern n'était pas un paysan et ses ancêtres avaient fait assez de bien à la paroisse d'Orlan pour qu'il lui vînt un veilleur du presbytère. Le recteur était absent, le vicaire était malade ; Gabriel les remplaçait tous les deux autant que cela se pouvait. Gabriel veilla donc auprès du corps de Treguern, non seulement comme ami, mais encore officiellement.

Et l'on raconta dans le bourg quelques particularités assez remarquables de cette nuit funèbre. D'abord le vase d'eau bénite et le goupillon restèrent à la porte, en dehors. Personne n'eut le droit d'entrer pour asperger le défunt, comme c'est la coutume et le devoir. Ceux qui vinrent purent entendre seulement le *cloarec* Gabriel réciter à haute voix la prière des morts dans la chambre funéraire.

Quant à Geneviève la veuve, quant à Marianne et à la petite Laurence, elles étaient toutes les trois dans la pièce d'entrée : Geneviève, immobile de stupeur, les yeux sans larmes, tenant son enfant dans ses mains froides. Marianne, adossée contre la fenêtre,

Laurence accroupie dans la poussière. On devinait, ou l'on croyait deviner qu'elles n'avaient point la permission d'approcher du lit où le défunt Treguern était étendu.

Vers le matin, Marianne et un voisin charitable s'en allèrent à la mairie faire la déclaration du décès qui, déjà, était mentionné sur le livre de la paroisse, par les soins de Gabriel. Il fut admirable, ce Gabriel ! lui-même et de sa main il ensevelit son ami ; lui-même et de sa main il cloua le cercueil. Le vicaire se leva de son lit pour dire la messe d'enterrement et ce fut encore Gabriel qui fit ce qu'il fallait faire au cimetière.

Le commandeur Malo vint quand tout était fini. Quelques paysans restaient seulement autour de la tombe fraîchement recouverte. Les paysans de Bretagne restent là le plus longtemps qu'ils peuvent ; ils sont friands outre mesure de l'émotion qu'on éprouve auprès des morts. Le commandeur Malo s'approcha de la tombe, mais il ne se mit point à genoux.

– Treguern ! Treguern ! Treguern ! prononça-t-il distinctement à trois reprises.

Et tandis que l'assistance frissonnait épouvantée, il inclina son oreille vers la terre comme s'il eût attendu une réponse.

Geneviève s'approchait, portant une pauvre petite croix où était le nom de Filhol, son mari. Le commandeur Malo prit la croix et la coucha sur la terre fraîche. Les paysans voulurent la planter debout. Le commandeur les repoussa et dit :

– Attendez ! j'ai vu Treguern hier, et je n'ai pas vu le voile. Je viens d'appeler Treguern, et Treguern n'a pas répondu. Treguern mourra trois fois, et sa tombe sera de marbre, comme celle du grand chevalier Tanneguy !

Vers la fin de cette même année, on pouvait rencontrer Geneviève, le sourire aux lèvres, avec la petite Olympe dans ses bras. Geneviève n'allait plus jamais au cimetière, où elle avait tant pleuré ! Les gens du bourg d'Orlan disaient tout bas que la pauvre jeune femme était folle. Où allait-elle, quand Laurence la voyait partir la nuit, portant la petite Olympe sur son sein ? La mère qui fait le mal laisse l'enfant dans le berceau, et Geneviève, d'ailleurs, était si sainte ! Geneviève ne pouvait pas faire le mal.

Certes, elle n'allait point où allait Marianne, la demi-sœur.

Quelques-uns l'avaient rencontrée, Geneviève, aux environs de la Tour-de-Kervoz. On parlait d'un inconnu à l'aspect sombre, errant, vers l'heure de minuit, entre le manoir de Treguern et la Pierre-des-Païens.

Au rez-de-chaussée de la Tour, sous le réduit où le commandeur de Malte vivait dans sa fantastique solitude, un soupirail s'ouvrait. Les paysans attardés croyaient apercevoir, parfois, au travers des broussailles, une lueur faible par l'ouverture de ce soupirail. Il s'en trouvait même qui disaient avoir entendu des voix qui semblaient sortir des entrailles de la terre ; ils spécifiaient, car ceux qui font ces récits ne manquent jamais de chercher les détails qui donnent la physionomie et la vérité : selon leurs rapports, une de ces voix était celle de Gabriel, l'autre appartenait à Geneviève de Treguern, et quand elles se taisaient, on pouvait ouïr le babil joyeux de la petite Olympe.

Mais il y avait encore une autre voix et ici les raconteurs hésitaient. La sueur froide venait parfois à leurs tempes, car cette autre voix qui sortait du soupirail ressemblait à la voix de Filhol. Et ce n'était pas d'aujourd'hui, croyez-le, que les morts revenaient à la Tour-de-Kervoz !

Cela dura jusqu'à la nuit du 15 août de l'année 1800 ; cette nuit, il y eut une grande tempête. Deux sergents traversèrent la lande, venant de Redon, ainsi qu'un étranger qui portait une valise.

Deux coups de feu retentirent vers le chemin des Troènes et l'on trouva des traces rouges au Trou-de-la-Dette, où le commandeur de Malte vint planter une croix le lendemain.

Puis la Tour-de-Kervoz resta muette et sombre ; aucun bruit, aucune lumière ne passèrent plus par le soupirail. Le *cloarec* Gabriel avait quitté le presbytère ; Geneviève de Treguern ne rentra point au manoir et la voix de Filhol, le mort, cessa de se faire entendre aux passants effrayés.

IV

La première apparition

C'était dix ou onze ans après cette terrible nuit : on arrivait aux derniers jours de l'empire. Marianne de Treguern vivait à Paris chez une de ses parentes qui l'avait recueillie ainsi que sa jeune sœur Laurence.

Marianne de Treguern pouvait passer encore pour une jolie personne, bien qu'elle eût sauté la trentaine. Chez elle, la lame n'usait pas beaucoup le fourreau. Le faubourg Saint-Germain se reconstituait peu à peu ; quelques petites conspirations à l'eau de rose naissaient et mouraient dans les boudoirs, tandis que l'empereur faisait de l'Europe un immense champ de manœuvre. M. le marquis du Castellat était conspirateur. Ce fut la politique qui le mit en rapport avec un jeune homme de très haute espérance qui avait, disait-on, des accointances parmi les sociétés secrètes d'Allemagne, et qui se posait en ennemi personnel de Napoléon. Ce jeune homme avait nom Gabriel de Feuillans. Ceux qui regardaient comme possible la chute de l'empereur n'assignaient aucune borne à la fortune de ce jeune homme.

Un soir qu'il y avait réception chez cette parente qui tenait lieu de mère à Marianne et à Laurence de Treguern, Gabriel causait tout seul avec Marianne dans l'embrasure d'une fenêtre. Le regard de Laurence, cachée parmi la foule de ses jeunes compagnes, s'attachait à eux. Laurence avait atteint sa dix-huitième année. Personne n'était assez près de Gabriel et de Marianne pour savoir ce qu'ils disaient ; mais les yeux indiscrets traduisent les paroles et les yeux de Marianne disaient sa colère.

On annonça M. le marquis du Castellat. Gabriel de Feuillans eut un singulier sourire. Il prononça quelques mots à l'oreille de Marianne, et le sourire contagieux passa de ses lèvres aux lèvres de la jeune fille. M. le marquis du Castellat, honnête seigneur entre deux âges, propret, demi-chauve et jouant fort au sérieux son rôle de conspirateur bonhomme, ne se doutait probablement point qu'il fût question de lui entre le beau Gabriel de Feuillans et mademoiselle de Treguern. L'histoire ne dit pas qu'il eût remarqué jamais

Marianne.

Au lieu de répondre à Gabriel, Marianne ferma ses paupières à moitié pour regarder le marquis bien attentivement.

Puis elle fit un signe de tête affirmatif.

Puis encore Gabriel, sans perdre son sourire, lui baisa la main avec une galanterie respectueuse en disant :

– Au revoir donc, madame la marquise !

Il s'éloigna. Tandis qu'il traversait les salons, son regard rencontra le regard de Laurence et sa physionomie changea complètement. Un nuage descendit sur son front. Il s'approcha d'elle, comme pour l'inviter à danser, et lui dit à voix basse :

– Laurence, je vais marier votre sœur.

Laurence de Treguern était d'une beauté rare, mais sur son visage à la pâleur suave et charmante, la souffrance avait déjà laissé des traces. C'était à elle que le pauvre commandeur de Malte avait dit : « Malheureuse et belle ».

Au bout d'un mois, les nobles commères du grand monde parisien eurent une histoire à raconter : le marquis du Castellat avait enlevé l'aînée des demoiselles de Treguern, une orpheline sans dot, une fille excessivement majeure. Pourquoi cet enlèvement ? Le marquis ne pouvait-il épouser comme tout le monde ! Quelques méchantes langues parlèrent de certain petit roman dont le beau Gabriel était le héros ; suivant cette version, le marquis aurait enlevé Marianne, parce que Marianne était engagée avec M. de Feuillans. Mais chacun avait remarqué les assiduités de M. de Feuillans auprès de Laurence et chacun savait qu'il était très fort l'ami de M. du Castellat.

Quoi qu'il en soit, on vit bientôt reparaître le marquis radieux et glorieux, amenant à son bras sa femme comme un trophée ; l'hôtel du Castellat ouvrit ses salons brillants, et Laurence vint habiter avec sa sœur.

Un soir de l'année 1812, Laurence et Marianne se trouvaient seules dans la chambre à coucher de cette dernière ; le marquis était à conspirer je ne sais où, et Feuillans voyageait en Angleterre. C'était le soir, après une chaude journée ; la marquise avait, suivant son habitude, une fraîche toilette, tandis que Laurence portait une robe noire comme si elle eût été en deuil. Laurence répondait avec une distraction mélancolique au babil de la marquise.

– Tu es triste, ma sœur, dit cette dernière.

– Il y a douze ans, aujourd'hui, répliqua Laurence, que notre frère Filhol est mort.

La marquise détourna la tête en tressaillant ; elle était de celles qui fuient comme la peste les souvenirs douloureux.

– Il nous aimait bien ! poursuivit Laurence qui avait des larmes sous sa paupière, et Geneviève, notre pauvre sœur ! elle est morte aussi, sans doute, puisque nous n'avons pas entendu parler d'elle depuis tant d'années !

Marianne s'agita dans sa bergère, impatiente du poids qu'on lui mettait sur le cœur.

– Et la petite Olympe ! continua Laurence ; te souviens-tu comme elle ressemblait à Filhol et comme elle était jolie dans son berceau !

Marianne gardait toujours le silence. Laurence se leva et vint l'embrasser.

– Bonsoir, ma sœur, dit-elle en se retirant, car elle avait besoin d'être seule pour se souvenir et pour prier.

Laurence de Treguern avait une noble et belle âme.

La marquise resta seule. Quand sa femme de chambre vint pour allumer les bougies, elle la congédia rudement. La marquise avait de l'humeur.

La chambre à coucher de Marianne était une pièce assez vaste, très haute d'étage et ornée avec un goût un peu sévère par la première femme du marquis. Il y avait deux portes principales, dont l'une donnait sur l'antichambre, tandis que l'autre communiquait aux appartements de M. du Castellat. Les fenêtres s'ouvraient sur le jardin.

La marquise s'enfonçait, boudeuse encore plus qu'attristée, dans les douillets coussins de sa bergère. Elle en voulait à Laurence qui, bien mal à propos, selon elle, avait évoqué les sombres visions du passé. Quoi qu'elle en eût, ces visions restaient obstinément autour d'elle : son frère étendu tout pâle sur le lit, sa belle-sœur en larmes avec l'enfant dans ses bras, et, mêlé à tout cela, le visage étrange du *cloarec* Gabriel...

Les yeux de la marquise se fermèrent par la bonne envie qu'elle avait de se réfugier dans le sommeil. Elle n'eût point su dire si elle dormait déjà ou si elle veillait encore, lorsqu'elle entendit une voix qui disait tout bas à son oreille :

– Marianne de Treguern !

La lune perçait le feuillage des grands tilleuls et blanchissait les rideaux des fenêtres. La marquise vit auprès d'elle le commandeur Malo qui tenait par la main une jeune fille à peine sortie de l'enfance, en qui la marquise reconnut tout de suite, rien qu'à l'air de famille, sa nièce Olympe, la fille de son frère Filhol. Elle ne l'avait pas revue depuis le berceau ; elle essayait de croire qu'elle rêvait ; une sorte d'engourdissement enchaînait ses sens.

– N'est-ce pas que la voilà bien grandie ? disait le commandeur Malo, dont la blême figure souriait.

Et Marianne sentait qu'elle répondait, révoltée contre l'évidence :

– Je ne la reconnais pas... Ce n'est pas elle !

Les longs cils de la jeune fille s'abaissèrent sur ses grands yeux suppliants. Le commandeur murmura :

– Marianne, veux-tu que Filhol et Geneviève viennent te dire : C'est notre fille ?

– Ils sont morts ! ils sont morts ! s'écria la marquise en frissonnant, les morts ne reviennent pas !

Elle vit le commandeur qui étendait le bras vers la partie de la chambre où le lit à baldaquin se cachait derrière ses draperies de velours.

– Tourne-toi, Marianne, dit-il, et regarde !

Les rideaux du lit étaient relevés ; la marquise vit les deux rayons de lune qui passaient par les fenêtres se relever, converger et frapper, comme l'âme d'une lanterne énorme, la courtepointe du lit sur laquelle Filhol et Geneviève étaient étendus, côte à côte, les mains croisées sur la poitrine. Vous eussiez dit un de ces tombeaux de l'ancien temps où la piété fastueuse des familles couchait les aïeux et les aïeules sur les matelas taillés dans la pierre. Les lèvres décolorées de Filhol ne remuèrent point, non plus que celles de Geneviève, mais deux voix faibles prononcèrent à la fois :

– C'est notre fille !

La marquise essaya de se lever pour fuir ; elle retomba évanouie... Quand elle s'éveilla, sa chambre était pleine de lumière ; les rideaux fermés drapaient leurs plis lourds autour de son lit. Tandis que les domestiques allaient, effarés, par la chambre, la jeune fille de son rêve tenait un flacon de sels au-dessous de ses narines, et le commandeur Malo, tout blême dans son grand manteau noir, avançait sa main maigre pour lui tâter le pouls.

Elle regarda la jeune fille qui lui souriait timidement, et dit en frissonnant jusque dans la moelle de ses os :

– Ma nièce, soyez la bienvenue !

Ce fut ainsi qu'Olympe de Treguern fit son entrée à l'hôtel du Castellat.

V

Josille et Vevette

Nous en avons fini avec le passé, revenons au présent, c'est-à-dire à notre année 1820. C'était à peu près l'heure où cette petite diligence, qui avait mine de corbillard, entrait dans la cour des Messageries de la rue du Bouloi, apportant le commandeur Malo, M. Privat et notre ami Tanneguy. La brune se faisait ; quelques lumières couraient déjà, de fenêtre en fenêtre, le long de la façade de l'hôtel du Castellat. À l'intérieur comme au dehors, on achevait les préparatifs de la fête, car il y avait grande fête ce soir chez madame la marquise.

Sous les bosquets du magnifique jardin, dans les allées et jusqu'au sommet de la terrasse, une armée de valets s'agitait, plaçait les tapis qui recouvraient l'échafaudage de l'orchestre ; on étageait en amphithéâtre les corbeilles de fleurs ; on rangeait les sièges rustiques autour du salon de verdure. Çà et là, au fond des berceaux, quelques ifs s'allumaient, tandis que les dernières guirlandes accrochaient aux colonnes le feuillage fleuri de leurs festons.

Ce n'était pas une mince affaire que l'illumination des jardins de la marquise ; il fallait ménager les effets comme au théâtre ; il fallait prodiguer la clarté aux abords de la salle de bal, et jeter autour des grottes de l'ombre et du mystère. Il y avait surtout à l'extrémité d'une fière avenue de tilleuls, certain pavillon de style Louis XV qu'il était important de mettre dans son jour. Ce pavillon bornait la propriété de la marquise du côté de cette bourgade sans nom, composée alors de chantiers et de masures, qui est devenue depuis le quartier François-Ier. Le temps avait abaissé les branches des arbres voisins jusque sur sa toiture en terrasse ; il était comme perdu, ce gentil pavillon, au milieu d'un fouillis de verdure.

Dans le cabinet d'un amateur, parmi les meubles rares et les objets de prix, vous trouvez toujours quelque curiosité favorite qui vaut à elle seule autant que tout le reste du musée. Ainsi était le pavillon Louis XV dans ce riche et gracieux jardin de l'hôtel du Castellat : c'était le maître bijou de l'écrin, et personne ne venait aux fêtes de la marquise sans déclarer que ce pavillon était une petite merveille. Encore ne voyait-on jamais que l'extérieur ; ce qu'il y avait derrière ces murailles mignonnes et chargées de sculptures, nul ne le savait. Des vases de marbre, portant d'énormes touffes de géraniums rouges, montaient les marches du perron. À la dernière marche s'arrêtait l'hospitalité de la marquise.

Plus d'un se demandait parfois ce qu'elle cachait, la marquise, dans ce réduit charmant.

Un petit domestique et une jeune servante, armés tous deux de longues perches, mettaient le feu aux lampions, disposés avec art sous les tilleuls. La servante avait l'accent des fillettes morbihannaises ; son œil brillait d'intelligence, elle riait comme les autres respirent, toujours et sans s'arrêter. Le domestique avait non seulement l'accent, mais encore l'excellente tournure d'un petit gars du pays situé entre Vannes et Redon. Il s'appelait Josille ; nous savons déjà le nom de Vevette.

Il paraît qu'elle était bonne à tout, cette gentille Vevette, et qu'elle n'avait pas de paresse, car elle employait son temps comme il faut, en attendant le retour de sa maîtresse. Elle était, ma foi, en grande tenue et toute parée pour la fête ; elle portait un costume pimpant, qui n'était à proprement parler ni parisien ni breton, mais qui rappelait cette simplicité à la mode parmi les villageoises d'opéra-comique. Cela lui allait comme un gant, et Josille l'admirait si bien qu'il grillait les branches des tilleuls au lieu d'allumer les lampions.

Il était gras, Josille, comme une caille, il était rouge et assez joli garçonnet, il était gauche, il bredouillait un peu en parlant, et il bavardait plus qu'une pie. Au bourg d'Orlan, son pays natal, il passait pour un malin gars.

– Oh ! dam ! la Vevette, disait-il, quant à ça, il n'y a pas besoin de tant de chandelles pour s'amuser par chez nous, à Orlan. Avec ce que ça coûte d'argent, tous ces lampions-là, nous monterions quasi notre ménage, nous deux !

– Un beau mari que tu ferais, Josille ! répliqua la fillette en haussant les épaules, tu ne sais seulement allumer une mèche, et voilà un quart d'heure que ta gaule tâtonne autour du lampion.

Par le fait, le petit gars n'avait pas la main à la besogne, et avec des allumeurs de sa force, le jardin de la marquise aurait bien pu n'être éclairé que le lendemain matin.

– Écoute donc, la Vevette, murmura-t-il avec une certaine émotion, tu n'étais point si brave que ça au pays, dà ! et je te regarde toujours pour voir comme tu as changé bellement.

Vevette ne tenait pas à laisser la conversation sur ce terrain sentimental, car elle demanda :

– Les as-tu vus, toi, les trois Freux ?

Josille fut sur le point de laisser tomber sa perche.

– Voilà qu'il commence à faire bien noir pour parler de ceux-là ! balbutia-il.

– Bah ! dit Vevette, il y a loin d'ici à la Grand'Lande, et les trois Freux ne viendront pas te chercher jusqu'à Paris.

– Savoir ! dit Josille, qui jeta un regard inquiet sur les bosquets.

– Ah dam ! mon gars, s'écria Vevette, qui n'en riait que mieux à voir le grand sérieux de son compagnon, si tu as peur comme ça de ton ombre, tu es bien mal tombé chez madame la marquise ! C'est ici la maison des revenants ! on ne parle que de diableries, et il y a un sorcier qui demeure dans le pavillon que tu vois là-bas.

– Un sorcier ? répéta Josille.

– Un vrai sorcier ! mais je te protégerai contre lui, si tu veux me dire comment est faite Valérie la Morte.

– C'est drôle, tout de même, murmura le petit gars, qu'on parle des trois Freux d'Orlan et de Valérie la Morte, comme ça jusqu'en la grand-ville.

– Je gagerais, dit Vevette, que madame la marquise, le chevalier de Noisy et toute la confrérie du sabbat qui bavarde pendant que les autres dansent, vont rabâcher cette histoire-là aujourd'hui tant que durera le bal !

– Ils font donc comme chez nous à la veillée ?

– Allume, Josille ! allume, ou nous serons en retard ! Est-elle jeune, la Valérie ?

Josille présenta sa perche au lampion rebelle pour la dixième fois, et le lampion ne parut pas s'en apercevoir.

– Je ne sais point si elle jeune ou vieille, répondit-il, et quant à ça, les esprits n'ont pas d'âge comme nous autres.

– Où l'as-tu vue ?

– Derrière l'église, dans le chemin creux qui passe sous le cimetière.

– Es-tu bien sûr que c'était elle ?

– Si j'en suis sûr ! Ah ! la Vevette, j'en ai encore froid dans le dos ! Quand c'est que tu partis du pays, j'ai pris les fièvres par le chagrin que j'eus. Pour me guérir, je me fréquentai pour mariage avec la Scholastique, qui a un bout de pré et deux vaches – de belles vaches ! Donc, un jour, en sortant de la grand'messe, elle me cogna les yeux, par manière de jouer, avec une roche, et je lui fis malice de la mouiller jusqu'au cou dans la mare du Menain. J'en ris tout de même ! qu'elle avait de la vase par-dessus les oreilles et que les gars s'ensauvaient d'elle en se bouchant le nez. Faut s'amuser, pas vrai ? Vlà donc que ça l'avait retournée pour moi drûment en ma faveur, comme on dit, et qu'en fin des fins, le monde me disait : Josille, mon gars, épouse-toi avec elle ou ça sera sa mort qu'elle en périra !

Vevette allumait, leste comme une fée ; Josille la suivait, racontant son histoire d'un accent pleureur.

– Oh ! le fier gars que tu fais ! s'écria Vevette ; a-t-elle le goût fin, c'te Scholastique qui a un bout de pré et deux vaches !

– De belles vaches ! reprit encore Josille. Scholastique m'avait donc dit, dit-elle : Viens à la brune pour nous accorder de nos noces : j'y fus. Il n'y avait point de lune ; ils étaient trois à causer au bout de l'ancienne avenue de Treguern, devant le Château-sans-Terre...

– Les trois Freux ? interrompit Vevette qui s'arrêta pour écouter.

– Sûr et vrai, ma Vevette, les trois Freux, noirs comme des taupes et qui disaient en regardant le Château neuf de M. Gabriel : « Ça nous viendra avec le reste quand l'heure aura sonné ! » Je dévalai en me bouchant les oreilles pour ne point entendre leurs voix, car les paroles de ceux-là portent malheur à qui les écoute. Vers la Pierre-des-Païens, je vis une femme qui courait devant moi et je pressai le pas, croyant que c'était Scholastique, et j'aurais mieux aimé me trouver en face de douairière Le Brec elle-même un samedi soir ! La femme s'arrêta en travers du chemin creux pour m'attendre : je suis bien sûr d'avoir vu ses yeux briller comme des charbons au milieu de son visage blême. Le vent faisait flotter ses cheveux noirs, comme qui dirait les grands cheveux bouclés de mam'selle Olympe. Sa taille était si fine, qu'on pouvait bien deviner qu'il n'y avait point de chair sous sa ceinture. Et pourtant notre demoiselle Olympe, qui est vivante, Dieu merci ! a la taille aussi fine que ça !

– Te parla-t-elle ? demanda encore Vevette.

– Elle me dit de m'en aller, répliqua Josille ; et quand j'ai entendu, depuis, la voix de mam'selle Olympe…

– Allons, tu es fou ! s'écria Vevette.

Elle riait toujours, mais un observateur plus exercé que le petit Josille aurait bien vu qu'elle avait désormais martel en tête.

– Voilà ! reprit-il, notre demoiselle Olympe ne peut pas être à la fois à Paris et au bourg d'Orlan, c'est la vérité. Et puis, pourquoi notre demoiselle aurait-elle escaladé les murs du cimetière ?

– Ah ! dit Vevette, la morte escalada le mur du cimetière ?

– Oui bien ; quand elle m'avait dit de m'en aller, je n'avais obéi qu'à moitié : je m'étais caché derrière la haie. Je la vis, comme je te vois, se glisser entre les tombes et sauter dans l'église par une fenêtre qu'on avait laissée ouverte par la grande chaleur.

– Et dans l'église, que fit-elle ?

– V'la ce que je n'ai point osé regarder, la Vevette. Je vis un peu de lumière s'éprendre derrière les vitres de la sacristie et je m'en revins chez nous vivement. Est-ce que tu aurais approché, toi ?

– Sans doute, répliqua vaillamment la fillette ; allons, Josille ! tu n'as plus besoin de ta gaule. Monte à l'échelle et va allumer là-haut !

Ils étaient au bout de l'allée des tilleuls, et le pavillon Louis XV dressait devant eux sa gracieuse façade. Josille mit le pied à l'échelle. Vevette l'entendit pousser un grand cri.

– Là ! là ! fit-il en se laissant choir de son long sur le sable ; ils sont là-dedans !

Aux fenêtres du pavillon, une lueur pâle brilla. Vevette s'élança, intrépide, et monta les premiers échelons. Josille répétait :

– Là ! là ! trois ! je les ai vus ! et le tombeau de Tanneguy aussi ! Ah seigneur Dieu reprit-il en pleurant à chaudes larmes, quand les esprits vous tiennent, c'est donc fini ! j'ai quitté le pays, j'ai perdu la Scholastique, son bout de pré et deux vaches... de si belles vaches ! J'ai fait des lieues et des lieues pour ne plus voir tout ça, et voilà que le tombeau de Tanneguy s'est ensauvé du chœur de la paroisse d'Orlan pour me suivre à Paris ! et voilà que les trois Freux !...

– Il n'y a rien ! disait Vevette au sommet de l'échelle ; tu as rêvé tout éveillé !

Des pas se faisaient entendre à l'autre bout de l'allée. La lueur qui avait brillé un instant à l'intérieur du pavillon s'était éteinte brusquement. Josille vint se coller contre les pieds de l'échelle ; il tremblait si fort que Vevette sentait battre les montants.

– Tu ne vois rien ! balbutia-t-il, alors c'est à moi qu'ils en veulent ! Ils étaient là, contre la tombe, tous les trois debout, et il y avait derrière eux comme un grand squelette appuyé à la muraille.

Il s'interrompit pour jeter un cri étouffé.

– Tiens ! tiens ! dit-il encore.

Il n'en put dire davantage, sa bouche restait convulsivement ouverte et sa main étendue montrait les bosquets touffus qui cachaient le mur d'enceinte du jardin, à droite du pavillon. Toute cette partie du petit parc de la marquise était plongée dans une complète obscurité. Les lumières s'arrêtaient à l'allée des tilleuls. À gauche de l'allée, depuis le pavillon jusqu'à la salle de bal, tout resplendissait déjà ; les guirlandes de feux dessinaient leurs festons à perte de vue, mais le voisinage de ces clartés ne servait qu'à rendre plus profondes les ténèbres de la portion du jardin qui n'était pas illuminée.

Du haut de son échelle, Vevette suivait le geste de Josille. Elle crut apercevoir, en effet, un mouvement confus sous le couvert ; les lampions de la façade qu'elle était en train d'allumer gênaient sa vue.

– Qui va là ! cria-t-elle hardiment, car elle n'avait peur de rien, la petite Vevette.

Josille se ramassa sur lui-même, pensant que la voix des Freux du cimetière d'Orlan allait éclater comme trois coups de tonnerre. Ce fut une voix douce, une voix de femme, qui répondit :

– C'est moi, Vevette, je t'attends.

Josille était pourtant bien sûr d'avoir vu les trois hommes du pavillon, que ce fussent des vivants ou des ombres, se glisser silencieusement entre les troncs des arbres. Vevette sauta en bas de l'échelle et s'élança, légère comme une biche, sous le couvert.

Dans l'allée des tilleuls, ces pas lointains que l'on entendait naguère s'étaient rapprochés ; l'intelligence frappée du pauvre Josille n'était déjà plus d'aplomb ; il crut rêver quand il vit s'approcher une sorte de procession composée d'un valet en livrée qui portait une lanterne, rendue fort inutile par les illuminations, d'un personnage maigre, sec, blême, vêtu de noir de la tête aux pieds, et de trois facteurs des messageries chargés chacun d'une grande caisse de sapin blanc.

Il n'y avait personne au bourg d'Orlan qui ne connût la silhouette redoutée du commandeur Malo ; on parlait souvent aux veillées de celui-là qui savait dire, rien qu'à voir un homme, s'il devait vivre ou s'il devait mourir ; les moins superstitieux frissonnaient à la pensée de ce voile fatal qui tombait devant les yeux du Treguern, quand la mort était là, guettant sa proie marquée. Et le petit Josille n'était pas des moins superstitieux.

Vevette avait eu raison de dire que le pavillon était habité par un sorcier : Josille ne le voyait que trop maintenant ! Il se coula dans un massif pour laisser la route libre au terrible commandeur. Celui-ci s'arrêta devant la porte de son pavillon ; il ordonna aux facteurs de déposer les caisses sur les marches du perron.

– C'est lourd ! dit l'un d'eux. Pendant qu'on y est on pourrait bien vous les mettre jusque chez vous.

Le commandeur avait introduit une clé dans la serrure de la porte ; il se retourna et fit signe au domestique en livrée :

– Déchargez ! prononça sèchement celui-ci.

Les trois facteurs se débarrassèrent de leurs fardeaux et essuyèrent leurs fronts mouillés de sueur. Le valet en livrée les paya et les congédia. Quand ils furent partis, non sans avoir jeté sur cette porte des regards curieux, Josille remarqua bien que le valet n'offrit point son aide au commandeur Malo pour entrer les caisses. Le valet dit seulement :

– Madame la marquise espère que monsieur lui fera l'honneur d'assister à sa fête.

Malo de Treguern tourna ses yeux fixes, mais un peu hagards, vers le valet.

– Sa fête ! répéta-t-il, tandis qu'un sourire morne errait autour de ses lèvres ; il y aura plus d'une fête cette nuit ! Laissez-moi.

Le valet s'inclina respectueusement et s'éloigna. En écoutant le bruit de ses pas qui s'étouffaient sur le sable de l'allée, le pauvre Josille sentait grandir son angoisse, car il n'y avait plus personne, et il était là tout seul avec le sorcier.

La porte du pavillon s'ouvrit : à l'intérieur le pavillon était tout noir. Malo de Treguern descendit jusqu'à la première caisse et prononça dessus quelques paroles mystérieuses dont Josille ne put saisir le sens. Malo essaya de soulever la caisse ; mais il était faible, et la caisse pesante : ses efforts restèrent inutiles.

– Que celui-là qui est caché dans les buissons s'approche et vienne à mon aide ! dit-il.

Josille se serait enfui à cent lieues s'il avait eu son libre arbitre ; mais une puissance inconnue le poussa en avant, et il traversa l'allée sans avoir aucunement la conscience de ce qu'il faisait. Le commandeur Malo lui noua un mouchoir en bandeau sur les yeux.

Une des caisses fut soulevée. Josille monta les marches du perron ; il entendait devant lui le commandeur Malo qui soufflait et qui peinait. Le sang de Josille se glaça dans ses veines quand il eut franchi la porte et qu'il sentit l'air froid et renfermé de l'intérieur. C'était là qu'il avait vu le tombeau de Tanneguy, le squelette, les ossements poudreux et les trois fantômes.

– À la seconde ! dit le commandeur.

Ils firent deux autres voyages, puis Josille se retrouva sur les marches du perron devant la porte fermée. Le bandeau n'était plus sur ses yeux ; il frotta ses paupières enflammées et regarda tout autour de lui, ébloui par les illuminations qui embrasaient le jardin. Aux fenêtres du pavillon, une lueur rougeâtre apparut, puis s'évanouit, comme si l'on eût tiré d'épais rideaux au-devant des croisées.

Pour un empire, Josille n'aurait pas voulu rester en cet endroit ; mais ses jambes s'engourdissaient sous le poids de son corps, et le sentiment de son abandon l'écrasait. Que n'eût-il pas donné pour entendre la joyeuse voix de Vevette !

Il crut l'apercevoir, Vevette, dans ce bosquet plein de ténèbres où lui-même s'était caché naguère. Quelque chose de blanc apparaissait là, dans la nuit. Josille eut le courage de la peur et prit sa course en appelant la jeune fille. L'objet blanc se mit aussitôt en mouvement et s'enfuit, glissant comme une vapeur entre les arbres. En même temps, Vevette vint à lui riant et chantant le plus gaiement du monde.

Comme il ouvrait la bouche pour interroger, Vevette lui mit sa main sur les lèvres en disant :

– Chut ! écoute !

On entendait dans l'ombre le bruit sec d'un marteau résonnant contre la plaque d'une porte.

Un marteau ! une plaque ! une porte ! au milieu de cette verdure, sous ces grands arbres, dans cette façon de petite forêt vierge où il n'y avait pas trace d'habitation ! c'était décidément un rêve.

– Attends-moi dans l'avenue, dit vivement la jeune fille qui se replongea de plus belle au plus épais du fourré.

Josille put ouïr distinctement des gonds qui grinçaient tout près de là. Mais qu'importe ce qu'on entend ainsi, quand on est égaré une fois dans le pays des chimères ! Au bout d'une minute, Josille vit revenir Vevette, comme elle l'avait promis. Elle était accompagnée d'un petit homme décemment vêtu et portant besicles, qui n'avait absolument rien de surnaturel en sa personne.

– Josille, dit Vevette, qui semblait avoir peine à comprimer un malin sourire, conduis ce monsieur-là chez madame la marquise qui l'attend ; tu annonceras monsieur Privat.

VI

Le boudoir de la marquise

Madame la marquise du Castellat était à sa toilette : grave affaire, car Marianne de Treguern avait passé déjà la quarantaine. Ses cheveux la quittaient ; sa taille se chargeait d'embonpoint et une certaine fatigue se lisait sur ses traits bouffis. Évidemment, il y avait lutte chez cette femme entre l'inquiétude présente, augmentée par la tristesse incurable du souvenir et la volonté qu'elle avait de s'engourdir dans l'oubli.

Le boudoir où elle se tenait était une petite pièce, meublée à la mode des dernières années de l'Empire. Le soir même où Olympe de Treguern, encore enfant, avait été introduite à l'hôtel de la façon mystérieuse que nous avons racontée, la marquise avait abandonné sa chambre à coucher pour prendre un autre appartement. Depuis lors, elle n'avait jamais voulu revoir le lieu où l'effrayante vision lui était apparue.

Quatre portraits entourés de cadres pareils pendaient aux murailles du boudoir. C'était d'abord M. le marquis du Castellat, figure honnête, polie, un peu dépourvue d'intelligence, portant perruque et gardant autour de ses lèvres minces l'éternel sourire des portraits de bonne compagnie. Vis-à-vis de lui, la marquise, en robe de satin blanc, respirait le parfum d'un bouquet de roses. À gauche de la cheminée, Laurence de Treguern, parfaitement ressemblante, c'est-à-dire parfaitement belle, fixait ses regards mélancoliques sur le quatrième portrait, qui était celui de Gabriel de Feuillans.

Gabriel, dans ce portrait, ne paraissait pas avoir plus de trente ans. Un manteau noir se drapait sur ses épaules et sa main blanche, finement veinée, tenait un livre entr'ouvert. C'était une figure pensive, et sévère ; ses cheveux se plantaient haut sur le crâne ; le contour du visage se déprimait vers les tempes pour se renfler aux pommettes et décrire jusqu'au menton l'ovale le plus harmonieux. Ses yeux étaient longs, bordés de larges paupières, et possédaient une grande fierté de regard ; son nez et sa bouche semblaient sculptés dans le bronze.

À l'époque où madame la marquise du Castellat s'était fait

peindre, on pouvait l'appeler encore la jolie Marianne. Sous sa coiffure prétentieuse, ses traits réguliers, mais ronds et sans caractère, faisaient ressortir la noble beauté de Laurence. On avait peint Laurence l'année même de sa mort, et ceux qui l'avaient connue retrouvaient sur ce visage presque céleste, dans ce regard suave et pénétrant, les vagues tristesses des derniers jours.

Il y avait longtemps que madame la marquise ne ressemblait plus à ce portrait blanc et rose qui souriait contre le lambris ; mais, ce soir, elle paraissait avoir pris dix années de plus, elle était sombre et inquiète. Elle était assise vis-à-vis de sa toilette, et sa femme de chambre semait trop de fleurs dans sa chevelure appauvrie.

– Il y avait un milord, disait la camériste poursuivant l'entretien commencé, qui voulait la petite maison aux persiennes vertes, ici près, mais M. Stéphane a donné je ne sais combien de mille francs pour l'avoir.

– Il est donc riche, ce M. Stéphane ? demanda la marquise, qui mit à prononcer ce nom une grande affectation d'indifférence.

– Je crois bien ! répliqua la camériste, il a fait sauter la banque à Frascati. Madame la marquise sait que les fenêtres de la petite maison s'ouvrent en face des croisées de l'appartement de mademoiselle Olympe ?

– Non, dit Marianne de Treguern qui tourna la tête ; je n'avais pas remarqué cela.

– Juste en face ! et il n'y a pas un seul arbre entre deux ! Je pense que, maintenant, M. Stéphane va venir bien plus souvent à l'hôtel.

La marquise fit mine de regarder attentivement l'œuvre de sa coiffure et signala quelques défauts comme pour rompre l'entretien. Mais il paraît que Juliette la camériste avait son franc parler.

– Un si proche voisin ! reprit-elle, tandis que ses mains exercées faisaient droit aux observations de sa maîtresse, et un jeune homme qui voit le beau monde ! Je suis sûre que cela ne contrariera pas madame la marquise ; M. de Feuillans le connaît ; il le connaît beaucoup et il va le voir très souvent.

– M. de Feuillans fait ce qu'il veut, dit sèchement la marquise.

Puis elle ajouta en resserrant sa coiffure à deux mains :

– C'est bien comme cela, Juliette. Je vous appellerai pour mettre mes bijoux.

Juliette se dirigea aussitôt vers la porte ; mais avant de sortir, un regard malicieux glissa entre ses paupières. Bien des philosophes se sont demandé pourquoi chaque femme a dans sa camériste une ennemie intime. Dès qu'elle fut seule, Marianne de Treguern, marquise du Castellat, se leva et se mit à parcourir la chambre à pas lents. Un nuage plus sombre était sur son visage, et des rides se creusaient à son front.

– Stéphane ! murmura-t-elle ; pourquoi Gabriel me laisse-t-il dans cette incertitude ?

Juliette avait emporté avec elle le flambeau qui était sur la toilette ; le boudoir n'était plus éclairé que par une lampe à globe, posée sur un petit bureau de femme et dont la lumière tombait sur des lettres éparses. Toutes ces lettres étaient encore cachetées ; la marquise, en passant auprès du petit bureau, détourna les yeux, comme si une secrète répugnance l'eût empêchée d'ouvrir son courrier, ce soir.

Je ne sais pourquoi ce boudoir coquet avait maintenant, aux lueurs indécises de la lampe, un aspect désolé. Les quatre portraits, éclairés à demi, se regardaient tristement. La marquise se laissa choir sur un fauteuil et mit sa tête entre ses mains, au risque de gâter sa coiffure toute fraîche. Le chien mouton, assoupi dans un coin, se leva, étira ses reins obèses, et vint rouler aux pieds de sa maîtresse en grondant de sourdes plaintes.

– Stéphane ! murmura pour la seconde fois Marianne qui poussa un gros soupir ; quand je me creuserais la tête, à quoi bon ! Le jeune homme de vingt ans ressemble-t-il à l'enfant qu'on porte au baptême ? D'ailleurs, je sais que le jeune homme est à Château-le-Brec...

En prononçant ce mot, le *jeune homme*, sa voix s'altéra légèrement. Elle prit au hasard une lettre sur la table et l'ouvrit machinalement. C'était un papier bleuâtre avec une tête imprimée ; l'écriture avait ce tracé ferme et plein que l'habitude donne aux gens d'affaires.

« Feu M. le marquis du Castellat n'ayant point d'enfants, » disait la lettre, « a pu disposer de la totalité de ses biens en faveur d'une étrangère. Le legs en faveur de Mlle Olympe de Treguern est régulier et parfaitement légal ; l'acte me paraît en due forme, et il n'y a pas même matière à procès. »

La marquise froissa la lettre.

– Elle le sait bien ! murmura-t-elle, combien de temps serai-je encore la maîtresse ici ? Peut-être que je lui dois de la reconnaissance pour la bonté qu'elle a de me garder chez elle !

Elle prit une autre lettre qu'elle garda entre ses mains sans y jeter les yeux.

– Qui sait ! pensait-elle tout haut, tandis qu'un sourire moqueur naissait autour de ses lèvres ; Gabriel m'a épousée, moi aussi, autrefois, et je m'appelle la marquise du Castellat. Gabriel a voulu épouser Laurence, et Laurence est morte. Gabriel veut l'épouser maintenant, celle-là : qui sait ?

La lettre qu'elle tenait à la main était un gros papier bis, plié maladroitement ; les grossiers caractères de l'adresse tremblaient. Quand le regard de la marquise tomba enfin sur cette missive égarée, on ne sait comment, dans son boudoir élégant, elle tressaillit et devint pâle.

– Douairière ! balbutia-t-elle. Douairière m'écrit !

Elle rompit le cachet d'une main défaillante et lut :

« Marianne, tu as bien fait de fuir ; mes nuits sont terribles, et je vois souvent ceux qui sont morts. Ce que j'ai fait, c'était pour toi et pour Gabriel ; vous m'avez abandonnée tous les deux ; il y a peut-être une Providence. Malo de Treguern a dormi dans sa tour ; il dit que l'heure est venue et que le vieil arbre va refleurir. Puissé-je être morte quand Treguern se relèvera !

« Celle-ci est pour t'annoncer que tu vas voir l'enfant ; il a voulu partir comme l'autre était parti naguère. Ce n'est pas moi qui l'ai chassé. Cependant il y a bien longtemps que je doute ; ils sont nés si près l'un de l'autre, ces deux-là. Nous avons trompé le prêtre ; Fanchette a pu nous tromper. L'enfant n'a pas le visage d'un Le Brec. Quand tu le verras, regarde-le bien. Gabriel l'a regardé, la dernière fois qu'il est venu, il ne m'a rien dit. Pourquoi aimerait-il son enfant, l'homme qui n'aime pas sa mère ?

« L'heure de la dernière bataille va sonner. Les voix qui me parlaient autrefois dans le silence de la nuit se taisent ; mes yeux aveuglés ne voient plus l'avenir. Tu es encore assez jeune pour souffrir en cette vie : adieu, Marianne, nous avons bâti sur le sable, et ma tendresse a été ton malheur.

« FRANÇOISE LE BREC DE KERVOZ. »

« *Post-scriptum.* – Les trois Freux ont disparu ; on ne voit plus la Morte. Les paysans ont trouvé l'écusson de Treguern cloué à la maîtresse porte du *Château-sans-Terre*, comme ils appellent ici le palais que Gabriel a fait bâtir à la place où était le manoir de Filhol ; ils disent tous que Treguern va revenir. Privat, l'avocat qui défendit Étienne, il y a vingt ans, est parti pour Paris. Prends garde et avertis Gabriel, si tu n'as point séparé ta fortune de la sienne. »

Une terreur découragée se peignait sur les traits de la marquise, chaque mot de cette lettre était pour elle une menace. Pendant qu'elle la refermait, elle avisa sur la table un petit pli régulièrement carré dont l'adresse était d'une écriture inconnue. Ce pli ne contenait que deux lignes et disait :

« J'aurai l'honneur de me présenter aujourd'hui chez madame la marquise du Castellat, à huit heures précises. »

Il était signé du nom de Privat. La marquise se tourna en sursaut vers la pendule, qui marquait justement huit heures.

– C'est lui ! s'écria-t-elle, c'est cet homme qui prit la défense d'Étienne. Que vient-il faire chez moi ? Je ne veux pas le voir !

Elle agita violemment sa sonnette et dit à Juliette qui accourait :

– Prévenez le concierge tout de suite ! Je n'y suis pas pour un M. Privat qui doit venir à huit heures.

Comme Juliette se retournait pour obéir, elle se rencontra face à face sur le seuil avec un petit homme décemment vêtu qui se mit à sourire et lui tira son chapeau d'un air honnête. Il s'effaça pour laisser la camériste et dit avec aplomb en s'avançant vers la marquise :

– Exact à la minute, comme vous voyez, madame ! M. Privat, avocat, qui a fait cent lieues pour avoir l'honneur de vous présenter son respect.

Il salua, fit volte-face et s'en alla fermer la porte sur le nez de Juliette. La marquise le regardait faire avec étonnement.

M. Privat était bien mieux costumé que dans la cour des Messageries ; il avait un pantalon noir presque neuf, grimaçant sur de gros souliers bien cirés, un habit noir très propre et trop large, un gilet noir taillé à la papa, et une belle cravate blanche formant une rosette qu'eût enviée un marié de village. Son nez était pointu, sa bouche grande et souriante ; ses petits yeux regardaient par-dessus d'énormes lunettes rondes comme des écus ; ses joues maigres et très colorées remuaient du haut en bas quand il parlait ; son front démesurément élevé se terminait en pointe chauve et les cheveux des tempes, artistement ramenés, essayaient en vain d'ombrager la nudité de ce crâne montueux.

Tout cela pouvait être fort laid, mais tout cela était content de soi, allègre, vivant, agité même et relevé par une petite pointe de gaillardise assez spirituelle.

– Ma chère madame, dit-il en revenant vers la marquise et en prenant un ton de bienveillante bonhomie, je pense bien que vous ne me remettez pas. Nous avons vieilli tous les deux. Et, quant à moi, j'avoue que j'aurais été fort empêché de vous reconnaître.

Marianne de Treguern jeta un regard sur le cordon de sa sonnette, mais elle n'y toucha point.

– Veuillez me dire, monsieur, murmura-t-elle, ce qui me procure l'honneur de votre visite.

Au lieu de répondre, M. Privat poursuivit avec enjouement :

– Savez-vous qu'il y a une fière trotte du marché des Innocents, où je demeure, à l'Allée des Veuves ! Mes moyens ne me permettent pas de prendre comme cela des voitures à tout bout de champ ; je suis venu à pied. Si madame la marquise voulait me le permettre...

Marianne de Treguern ne le laissa pas achever ; elle lui désigna de la main une chaise. Mais il paraît que M. Privat préférait les fauteuils ; il repoussa la chaise indiquée et roula une bergère au-devant de la marquise. Cela fait, il s'assit en poussant un joyeux soupir et caressa, ma foi, son gilet à la papa, comme ces grands seigneurs de comédie qui ont un jabot pour le chiffonner savamment.

– Je connais beaucoup votre jeune voisin, M. Stéphane Gontier, dit-il sans préambule et en regardant toujours la marquise par-dessus ses lunettes rondes ; s'il avait voulu, j'aurais fait de lui un homme de loi.

– Je reçois rarement M. Stéphane Gontier, interrompit Marianne de Treguern.

– Bah ! fit le petit homme ; mais il paraît que c'est ainsi à Paris : on demeure porte à porte, et l'on se voit à peine. J'aurai le plaisir de vous amener plus souvent ce jeune homme, qui a de bons principes et de fort honnêtes manières.

La marquise essaya de sourire.

– Est-ce pour cela que vous êtes venu, monsieur ? demanda-t-elle.

– J'aime les affaires, répliqua M. Privat en remontant ses lunettes d'un coup de doigt sec et précis ; mon père était huissier audiencier près la sénéchaussée de Redon. Je suis né là-dedans ; mon berceau était entouré de rôles et ma poitrine en s'ouvrant a respiré l'air des affaires ; c'est mon air natal !

La voix de M. Privat s'animait, et ses petits yeux brillaient derrière ses besicles bleuâtres. La marquise avait croisé ses mains sur ses genoux. L'instinct de sa frayeur lui disait que derrière la bizarrerie de ces préliminaires on masquait une attaque sérieuse. Elle attendait.

– Dans le cabinet de mon père, reprit le petit homme d'un accent ému, il y avait un casier, montant du plancher jusqu'au plafond et tout plein de cartons verts qui ne fermaient plus, tant ils étaient remplis ; il y avait des liasses serrées et jetées en tas dans les coins comme les gerbes d'une moisson mûre ; il y avait des monceaux de papiers poudreux dont la corne révoltée se crispait et qui étaient couverts jusque sur les marges d'une bonne écriture fine, pressée, mêlée, illisible... Tenez ! le dossier de votre famille, le dossier de Treguern, aurait empli ce boudoir à lui tout seul ! Ah ! ah ! voilà ce que j'appelle un beau dossier ! Assez de papiers pour ruiner un roi, ou pour donner à un mendiant la fortune d'un prince, suivant le sort ! Eh bien ! madame, vous le croirez si vous voulez, enfant que j'étais, j'avais déchiffré tout cela ! – et tout cela ne me suffisait déjà plus !

Il se redressa sur sa bergère.

– Je voulais mieux ! s'écria-t-il avec un élan d'orgueil ; j'avais rêvé une affaire... mais une affaire comme on n'en voit pas ! quelque chose de compliqué, d'inextricable, un imbroglio à mille personnages, une sorte de danse macabre tournant avec délire autour d'une montagne d'or !

Ce petit homme n'avait pourtant pas l'air d'un poète. Marianne de Treguern espéra un instant qu'il était fou. Nous disons qu'elle espéra, parce que, malgré elle, le vague sentiment de frayeur dont nous avons parlé grandissait dans son esprit. M. Privat s'était renversé tout au fond de sa bergère.

– Des intérêts qui se croisent, poursuivait-il en savourant son rêve, qui se bifurquent, qui s'embrouillent comme un écheveau de fil ; des gens qui changent de nom, des actes de naissance perdus, des testaments falsifiés ; des vivants qui se font passer pour morts et des morts qui reviennent ; des meurtres sur lesquels le temps a passé... une affaire, madame la marquise, une affaire héroïque et splendide ! une lutte nocturne et impitoyable comme il s'en livre, dit-on, entre les Indiens dans les forêts de l'Amérique du Nord ! une bataille acharnée dans les limbes, un roman d'Anne Radcliffe, une épopée à la Milton ! des efforts insensés, des trahisons atroces, le Code civil aiguisé comme un glaive, le Code pénal tranchant comme une hache ! des sommes folles remuées à la pelle, des fantasmagories impossibles au milieu de notre monde incrédule ! et moi tout seul, moi, entendez-vous, dans cette nuit profonde, perçant les ténèbres, je ne sais comment, avec des yeux de chat-huant, soulevant les voiles, démêlant les mystères et réunissant tous les fils de cette gigantesque intrigue dans la main que voilà !

Il étendit en avant sa main sèche et ridée comme la main d'une vieille femme.

– Comprenez-vous ? ajouta-t-il en essuyant son front où il y avait de la sueur.

– Non, murmura madame la marquise du Castellat, qui mentait peut-être.

Le petit homme ferma les yeux à demi et la regarda fixement. Tout cet enthousiasme qui l'entraînait naguère était tombé comme par magie.

– Non ? répéta-t-il en changeant brusquement de ton ; au fait, tout le monde ne peut pas avoir les mêmes goûts que moi. Ce que je disais était pour répondre à la question que madame la marquise me faisait l'honneur de m'adresser au sujet du motif de ma visite. Un beau jour que je ne cherchais plus, j'ai trouvé cette immense affaire rêvée par moi depuis mon enfance. Le hasard m'y a donné un rôle, et si j'ai franchi le seuil de cet hôtel, c'est que madame la marquise est dans le même cas que moi.

Marianne de Treguern fit un geste d'énergique dénégation.

– Nous sommes au quinze août ! poursuivit le petit homme sans prendre garde à ce geste, et il y a vingt ans, jour pour jour, que votre jeune voisin Stéphane Gontier fut baptisé à la paroisse d'Orlan. Un autre enfant fut porté sur les fonts en même temps que lui. Je viens de faire le voyage de Bretagne à Paris avec cet autre enfant qui est un beau gaillard, je vous en donne ma parole ! je suis venu chez vous, madame la marquise, parce qu'il me plaît de savoir lequel de ces deux jeunes gens est votre fils, et lequel est Tanneguy, le dernier héritier de la maison de Treguern.

VII

M. Privat

Le petit homme avait reculé un peu sa bergère pour se mettre à point et voir l'effet produit sur la marquise par ses dernières paroles. La marquise gardait les yeux cloués au tapis. Le chien mouton, comme s'il eût compris que les sentiments de sa maîtresse devenaient hostiles ou méfiants, se plaça au-devant d'elle et secoua vaillamment sa fourrure cotonneuse.

– Bonjour, bichon, dit le petit homme en le caressant, tu ne connais donc pas les amis de la maison ? Je possède un chien chez moi, mais c'est un barbet.

Il ôta ses lunettes et se prit à les essuyer soigneusement, à l'aide d'un foulard qu'il tira de la poche latérale de son habit. Ses yeux très fatigués clignèrent à la lumière de la lampe.

– Vous vous croyez donc bien fort contre moi, monsieur, dit la marquise, après un silence, pour prendre la hardiesse de me parler ainsi ?

Comme M. Privat ne répondait pas, elle se redressa en un mouvement de colère et s'écria :

– Mais, avant tout, comment êtes-vous ici ?

– En qualité de danseur, pour la fête, répliqua cette fois M. Privat avec simplicité. Au pays, ces dames ont la bonté de trouver que je ne gâte pas un quadrille.

La marquise releva les yeux sur lui, et, dans toute autre circonstance, elle aurait eu sans doute grand'peine à s'empêcher de rire, car le petit homme remettait justement ses lunettes et ramenait d'un geste avantageux les deux pinceaux de cheveux qui se croisaient en ogive sur la pointe de son crâne ; mais il paraît que ce soir la marquise n'était pas en belle humeur.

– Nous ne nous entendons pas, reprit-elle sèchement ; je désirerais savoir sous quels auspices...

– Je me suis présenté chez vous ? acheva le petit homme en voyant que la marquise hésitait ; je trouve cela tout simple. Mais comme ces artistes parisiens vous attrapent la ressemblance ! reprit-il en regardant un des portraits pendus à la muraille : ne croirait-on pas voir M. de Feuillans lui-même !

– Vous connaissez M. de Feuillans ?

– J'ai cet honneur, madame.

– Et c'est M. de Feuillans ?...

– Mon Dieu ! non, dit M. Privat. S'il m'avait fallu un répondant, je n'aurais eu qu'à choisir dans votre maison même.

– Ah ! fit la marquise.

– J'aurais pu prendre, par exemple, poursuivit le petit homme, monsieur le commandeur Malo, ou bien encore...

Le petit homme s'arrêta. Outre le commandeur, il n'y avait, à l'hôtel du Castellat, qu'Olympe de Treguern. La marquise répéta lentement, tandis que ses regards curieux se fixaient sur son hôte :

– Ou bien encore ?

M. Privat plongea la main dans la poche de son habit, d'où il retira une bonne grosse poignée de papiers ; parmi ces papiers, il en choisit un qu'il présenta galamment à la marquise. C'était tout uniment une lettre d'invitation en bonne forme.

Au fond, le cas n'avait rien de bien extraordinaire, car on sait où s'égarent parfois les lettres d'invitation des grandes maisons : néanmoins, la marquise baissa les yeux de nouveau avec un redoublement de malaise. Le petit homme prenait pour elle des proportions fantastiques.

– Bien que je sois né dans une ville de province, reprit M. Privat en repliant sa lettre avec soin, je ne suis pas étranger aux habitudes du grand monde. Je sais quels sont les devoirs d'une maîtresse de maison un jour comme celui-ci, et je ne voudrais pas abuser de vos moments, madame la marquise. Le plus court, croyez-moi, serait de répondre franchement à mes questions.

– Et si je ne voulais pas répondre à vos questions, monsieur ?

– Comme vous le disiez tout à l'heure, madame, répliqua M. Privat, je suis fort ! Non pas contre vous, précisément, attendu qu'en somme, je ne vous veux ni bien ni mal. Mais je suis très fort. Et comme j'ai un intérêt direct à m'instruire, je me servirai de ma force pour avoir auprès de vous tous les renseignements qui me sont nécessaires.

Il toussa légèrement, et continua :

– Voyons, est-ce Stéphane ? est-ce Tanneguy ?

Comme Marianne de Treguern gardait le silence, il étendit le doigt vers la lettre de la douairière Le Brec qui était restée entr'ouverte sur la table.

– Je connais cette écriture-là, dit-il.

La marquise fit un geste irréfléchi comme si elle eût voulu soustraire la lettre à ses regards.

– Je sais ce qu'il y a dedans, prononça paisiblement le petit homme.

Pour le coup, une épouvante réelle se peignit dans les yeux de la marquise. M. Privat se baissa pour caresser le chien mouton qui secoua son ouate et lui montra la double rangée de ses petites dents blanches enchâssées dans du satin rose.

– Remettez-vous, ma chère madame, murmura-t-il, remettez-vous. L'heure passe ; si nous devons parler peu, raison de plus pour parler bien. Voici vingt ans révolus que j'ai mis le pied au seuil de ce labyrinthe : depuis vingt années j'erre là-dedans sans me reposer jamais. Veuillez ne point oublier que mon premier pas dans la voie où je marche a été la défense d'Étienne, le sergent, présentée par moi devant la cour d'assises de Vannes. Je sais donc, *a priori*, tout ce qu'Étienne sait lui-même. Or l'opinion d'Étienne est qu'il y eut supercherie lors du baptême et que chacun des deux enfants reçut le nom qui ne lui était pas destiné.

– Fanchette, la sage-femme, est morte, murmura Marianne de Treguern qui n'essayait plus de lutter.

– Avant de mourir, Fanchette, la sage-femme, n'a rien révélé ?

– Rien.

– Et Fanchette, la sage-femme, était toute seule à connaître le secret ?

– Toute seule.

– Alors, vous ne savez pas vous-même ?...

– Je doute.

M. Privat fit une grimace à laquelle il était impossible de prêter une signification flatteuse.

– Peste ! grommela-t-il, vous doutez comme cela depuis vingt ans, madame la marquise ! C'est du scepticisme effréné ! En vieillissant, on apprend chaque jour quelque chose : je ne connaissais pas encore ce genre d'amour maternel.

La marquise se mordit les lèvres.

– Passons là-dessus, reprit brusquement M. Privat ; le fameux *cloarec* avait nom Gabriel, n'est-ce pas ?

Marianne de Treguern inclina la tête affirmativement.

– Et M. de Feuillans s'appelle aussi Gabriel, continua le petit homme. Ne serait-il point possible que M. de Feuillans sût le secret de la sage-femme ?

– Il ne le sait pas, répondit la marquise.

M. Privat la regarda bien en face.

– Et son secret, à lui, prononça-t-il lentement, le savez-vous ?... Pourquoi, le 16 août de l'année mil huit cent, il fit passer cent mille francs à Londres ? et pourquoi, depuis ce temps-là, tous les ans, à la même époque, il paie à un créancier inconnu cette rente énorme de quatre mille livres sterling ! Toujours cent mille francs !

– Non, dit Marianne de Treguern, qui s'éventait avec son mouchoir chargé de broderies, je ne sais rien de tout cela.

– Moi, j'ai fait bien du chemin ! murmura M. Privat comme en se parlant à lui-même ; moi, je sais bien des choses ; mais le labyrinthe est si vaste ! Je ne suis pas au bout !... De 1800 à 1804, il existe pour moi un vide, et cependant les annuités furent régulièrement acquittées. En 1804, il y eut l'histoire de Jérôme Clément...

Il s'arrêta pour observer la marquise.

– Vous entendez, madame, reprit-il ; j'ai dit Jérôme Clément !

– Jérôme Clément ? répéta Marianne de Treguern.

– Le riche médecin de Laval.

– C'est la première fois que j'entends prononcer ce nom, dit la marquise avec plus de calme.

Le petit homme s'était renversé sur le dossier de son fauteuil et la considérait fort attentivement ; il y avait dans ses yeux une surprise profonde.

– Est-ce apathie de la conscience ? pensait-il ; est-ce ignorance véritable ? Au fait, ce chien mouton est un animal hargneux, égoïste, intolérable ; mais il n'est pas enragé. Cette bonne femme a fermé les yeux de si grand cœur qu'elle n'a peut-être rien vu. C'est invraisemblable, mais c'est possible.

– De 1804 à 1810, reprit-il tout haut, autre lacune pour arriver jusqu'à l'affaire de Johann-Maria Worms, le marchand de diamants de Cologne. Je pense que vous avez quelque idée de cela ?

– Aucune idée, répondit la marquise ; et je ne comprends rien à vos questions, qui me semblent de plus en plus étranges.

– Alors même que vous me parlez ainsi, ma chère dame, dit M. Privat sans s'émouvoir, vous m'apprenez encore quelque chose. Je vous supplie de croire que j'ai d'excellentes raisons pour vous faire subir ce fâcheux interrogatoire. Ces deux affaires, du reste, ne sont que des épisodes, bien tragiques, il est vrai. Je suis allé à Laval et je suis allé à Cologne ; s'il faut le dire, je n'espérais pas que vous pussiez rien m'apprendre de nouveau à ce sujet. Il est donc bien entendu que M. de Feuillans vous épargne la partie trop dramatique de ses confidences, et ne vous met en tiers que dans les intrigues qui sont le côté léger de son œuvre.

Marianne de Treguern ouvrit les yeux tout grands, et le petit homme put voir qu'il avait parlé une langue inintelligible pour elle.

– Et cependant, reprit-il en fronçant le sourcil malgré lui, vous savez que M. de Feuillans a fait lever le plan des anciens domaines de Treguern : tout le pays entre la Vilaine et l'Ouest ? Vous savez que M. de Feuillans a bâti, à la place de l'ancien manoir de Treguern, ce palais insolent qu'on nomme le Château-sans-Terre ? Vous savez que M. de Feuillans a fait des démarches pour acquérir le droit de porter le nom et les armoiries de Treguern ?

– Ces démarches ont été entamées, répliqua la marquise, à l'époque où M. de Feuillans devait épouser ma jeune sœur Laurence. J'ai appuyé ces démarches, parce que le nom de Treguern n'avait plus de représentant mâle.

– En ce temps-là, était-ce bien sincèrement votre croyance ?

– Oui, monsieur.

– Et maintenant ?

– Ma croyance n'a pas changé.

– Et les démarches continuent, reprit le petit homme qui eut un sourire amer, parce que M. de Feuillans va épouser votre nièce Olympe, la fille du dernier Treguern. Eh bien ! madame, s'il avait plu à Dieu de laisser seulement un bras à tel pauvre garçon de notre connaissance, tout cela serait fini depuis longtemps !

Neuf heures sonnèrent à la pendule ; le petit homme se leva et fit le tour de la chambre, s'arrêtant un instant devant chaque portrait.

– Celui de Filhol n'est pas là, grommela-t-il entre ses dents, non plus que celui de Geneviève !

Il se retourna brusquement vers la marquise qui le suivait d'un regard sournois. Il pensait : Quelle différence y a-t-il entre une femme qui sait parfaitement et une femme qui se dit : Je ne veux pas savoir ?

– À quelle époque placez-vous la mort de votre belle-sœur Geneviève ? reprit-il tout haut.

– Elle quitta le manoir le jour même du baptême, répondit la marquise, depuis lors, je ne l'ai jamais revue.

– Vivante... Mais autrement ?

La marquise eut un frisson et baissa les yeux. M. Privat s'était arrêté plus longtemps, rêveur et presque mélancolique, devant le portrait de Laurence de Treguern, dont le regard d'ange semblait descendre sur lui ; du portrait de Laurence ses yeux allèrent vers la toile où vivait le fier visage de Gabriel de Feuillans.

Il secoua la tête lentement, fit volte-face et revint se placer derrière le dos de sa bergère. Désormais, la marquise essayait vainement de dominer son trouble ; de bon cœur, elle eût donné un ou deux rouleaux de louis à quiconque fût venu interrompre ce tête-à-tête. Mais, quoiqu'il arrivât du bon pays de Redon, ce M. Privat avait choisi son heure avec un tact tout particulier et comme s'il eût connu les habitudes intimes du monde parisien. Le moment qui précède l'ouverture d'un salon, c'est la solitude parfaite et absolue ; durant ce quart d'heure solennel, les visiteurs les plus intraitables s'abstiennent, et, sauf ces cas de violation de domicile dont les cousins départementaux se rendent seuls coupables, la maîtresse de maison est à l'abri de toute importunité pendant l'heure sacrée de sa toilette.

L'Allée des Veuves était encore déserte et la voiture qui devait s'arrêter la première devant la grille de l'hôtel du Castellat n'était peut-être pas même attelée. Le petit homme prit cet accent normand, demi-railleur, demi-patelin, qui n'est pas étranger aux fils d'huissiers du pays de Bretagne.

– Et les revenants, ma chère dame ? s'écria-t-il tout à coup.

Marianne de Treguern frissonna dans son fauteuil. Le petit homme poursuivit avec un sourire satisfait :

– Il paraît que ces coquins de revenants vous tourmentent d'une façon toute particulière !

La marquise mordait la broderie de son mouchoir.

– Monsieur, balbutia-t-elle, il est des choses dont il ne faut pas parler à la légère.

– En thèse générale, madame, répliqua M. Privat qui prit une pose d'orateur et s'accouda au dos de sa bergère comme à une tribune, je m'efforce de parler convenablement de toutes choses. Ne croyez point que je sois de ces esprits sceptiques et fanfarons qui se donnent le tort de badiner à propos des mystères de l'autre monde. Les histoires de revenants sont à l'ordre du jour dans votre cercle : je n'y vois point de mal ; vous parlez des trois Freux et de Valérie-la-Morte, c'est très bien... mais avez-vous fait frémir quelquefois vos nobles hôtes avides de merveilleux, en leur racontant une des visites que votre frère Filhol vous a rendues après sa mort ?

Marianne de Treguern mit son front brûlant dans ses mains.

– Vous ne répondez pas, madame la marquise, poursuivit M. Privat, et pourtant, vous avez revu votre frère Filhol, n'est-ce pas ? Vous l'avez revu plus d'une fois ?

– Oui, balbutia Marianne, c'est vrai... je l'ai revu.

– En Bretagne ?...

– En Bretagne.

– Et à Paris ?

Marianne frémit de tout son corps et garda le silence comme si elle eût craint que ses paroles n'appelassent les spectres qui rôdaient peut-être sous les grands arbres du jardin ou dans la nuit des corridors.

– Et feu M. le marquis du Castellat, votre époux, demanda encore M. Privat, l'avez-vous revu ?

Marianne de Treguern fit un signe de tête négatif.

– Et Laurence, votre jeune sœur ?

– Non plus, prononça tout bas la marquise.

– Ceci tendrait à faire croire, dit le petit homme, qui malgré ses protestations semblait traiter assez lestement ces matières, qu'il y a des morts qui reviennent et des morts qui ne reviennent pas...

Il attacha sur la marquise un regard incisif.

– Eh bien ! madame, si je vous disais, moi, reprit-il d'un accent bref et tranchant, tandis que son doigt étendu désignait le portrait de Laurence, si je vous disais que j'ai rencontré cette belle jeune fille, ce soir, en traversant le jardin de votre hôtel !

– Ma sœur ! s'écria la marquise, ce soir !

M. Privat passa le revers de sa main sur son front. On eût dit que ses propres paroles finissaient par faire impression sur son esprit.

– Ce n'est pas la première fois que je vois des portraits de famille se lever et marcher, dit-il d'une voix quelque peu altérée. Je regrette, madame la marquise, que vous ne connaissiez point l'histoire de Johann-Maria Worms, le joaillier de Cologne, ni l'histoire de Joseph Clément, le médecin de Laval. L'heure presse et je n'ai pas le temps de vous les raconter en détail. On peut bien vous dire pourtant que Joseph Clément mourut de mort violente dans une pauvre cabane de la forêt de Montigné, à quelques lieues de Laval, le 15 août 1804.

– Le quinze août ! répéta la marquise.

– Et que Johann-Maria Worms fut assassiné dans son beau château des bords du Rhin, dans la nuit du 15 au 16 août 1810.

– Étrange ! balbutia la marquise qui écoutait tout cela comme en un rêve.

– Eh bien ! ma chère dame, reprit le petit homme simplement et posément, de cet accent qui force la créance : j'ai vu souvent à Laval, dans le salon de sa veuve, qui jamais n'a voulu le vendre, malgré sa grande misère, le portrait de Joseph Clément, lequel en son vivant était si riche ! J'ai vu, aux environs de Cologne, dans ce beau château dont le pied se laisse caresser par les flots bleus du Rhin, j'ai vu le portrait de Johann-Maria Worms. Quand on regarde comme cela le portrait d'un homme assassiné, en écoutant l'histoire du meurtre, on peut vivre cent ans et ne l'oublier jamais !

Ici M. Privat s'interrompit et demanda, entre parenthèse :

– Madame, possédez-vous un portrait de votre frère Filhol ?

– À l'époque de sa mort, répondit la marquise, nous étions bien pauvres, monsieur, et nous demeurions dans un petit village de Bretagne où il n'y avait pas de peintre.

M. Privat s'inclina et poursuivit :

– C'est plausible... Je vous demandais cela, madame la marquise, par suite de ce travail mental qu'on appelle au collège l'association des idées. Il m'est revenu, en effet, que Filhol de Treguern mourut, lui aussi, la nuit du 15 août...

– Nous perdîmes notre frère, répliqua la marquise d'un ton de sincérité, au mois de septembre, en plein jour, et il mourut dans son lit.

– La première fois... dit le petit homme.

Marianne crut qu'il allait poursuivre, mais il s'arrêta brusquement.

– Une nuit, reprit-il après un nouveau silence, que j'étais dans le cimetière d'Orlan, je vis promener bras dessus, bras dessous, au clair de la lune, le portrait de Joseph Clément et le portrait de Johann-Maria Worms. Il y avait avec eux un troisième personnage, spectre aussi, suivant toute apparence, si les deux premiers n'étaient point des vivants. Et c'est à cause de cela, madame la marquise, que je me faisais l'honneur de vous demander si vous ne possédiez point un portrait de feu Filhol de Treguern, votre frère... J'aurais pu, avec certitude, donner un nom au troisième spectre, si vous aviez eu ce portrait.

Marianne de Treguern semblait prête à se trouver mal.

– Ce sont ceux-là, poursuivit encore M. Privat, qui grandissait à vue d'œil par la détresse même de la marquise, ce sont ceux-là dont on parle parfois dans vos salons : les TROIS FREUX du bourg d'Orlan. Mais lequel de nous deux, madame la marquise, va prononcer le véritable nom de celle qu'on appelle Valérie-la-Morte ? Est-ce Geneviève ? Est-ce Laurence ?...

VIII

Olympe de Treguern

Jamais les salons et les jardins de l'hôtel du Castellat n'avaient été encombrés plus magnifiquement. Sous les guirlandes de fleurs et de lumières, la foule brillante s'empressait au plaisir. C'était une de ces belles cohues que Paris seul au monde sait réunir et mettre en joyeuse fièvre. Il y avait là tout un essaim de femmes charmantes. L'esprit pétillait déjà dans les mille causeries nouées à l'aventure ; l'orchestre de Tolbecque essayait ses préludes vifs et gracieux. On sentait je ne sais quel éblouissement, précurseur de l'ivresse heureuse, parmi la tiédeur embaumée de cet air.

Il faut le dire, les fêtes de madame la marquise valaient encore mieux que leur réputation. L'hôtel du Castellat, construit au temps où les fêtes étaient la grande affaire, était entre les mains de Marianne de Treguern comme un stradivarius sous les doigts d'un virtuose ; elle en tirait un parti excellent. C'était son goût et sa passion. Frivole outre mesure, ne sachant ni travailler, ni réfléchir, ni même causer dans toute la beauté du mot, la marquise donnait son intelligence entière à ce labeur de maîtresse de maison et achetait au prix de sommes folles le privilège d'avoir des salons bien remplis.

Elle était là ce soir, se donnant toute à tous, modestement fière du grand succès de son œuvre et ne gardant aucune trace apparente de cette détresse qu'elle avait éprouvée quelques instants auparavant dans son entrevue avec M. Privat.

M. Privat ne l'avait quittée qu'au seuil des salons, et maintenant il se promenait dans le bal, le nez au vent, les mains derrière le dos, jetant des regards franchement approbateurs sur les magnificences de la fête. Le lion de ces fastueuses réunions, Gabriel de Feuillans, venait de faire son entrée. Quand il était venu baiser la main de la marquise, celle-ci lui avait dit tout bas :

– Prenez garde ! Il y a du nouveau.

Une émotion contenue et à grand-peine dissimulée perçait sous la gravité fière qui était le masque habituel de Feuillans.

– Marianne, murmura-t-il, savez-vous le nom de tous ceux qui ont eu l'entrée de votre maison ce soir ?

La marquise ouvrait la bouche pour répondre, mais elle rencontra le regard perçant de M. Privat qui se fixait sur elle par-dessus ses lunettes.

– On nous observe, dit-elle en appelant sur ses lèvres un gai sourire, je ne puis que vous répéter encore : Prenez garde !

M. Privat pensait à part, lui, en analysant ce sourire :

– Est-ce une bonne grosse femme, pétrie d'égoïsme et d'insignifiance, ou la plus parfaite comédienne de l'univers ?

Une rumeur se fit, les groupes s'agitèrent et la foule se pressa du côté de l'allée des tilleuls où naguère Josille et la petite Vevette s'évertuaient à mettre le feu aux lampions ; la marquise serra le bras de Feuillans qui s'inclina pour s'éloigner.

Dans l'allée des tilleuls, un couple s'avançait à pas lents. C'était un vieillard de grande taille, à la physionomie morne et triste, qui portait un costume bizarre, qu'on eût pris volontiers pour un déguisement de carnaval. La pièce principale de ce costume consistait en un manteau de drap noir descendant jusqu'aux pieds et sur lequel étaient brodés en or les attributs de la passion de Notre-Seigneur. Une large croix de Malte lui pendait au cou. À son bras s'appuyait une jeune fille dont la toilette de bal était remarquable surtout par son élégante simplicité. Sur leur passage, on murmurait les noms du commandeur Malo et de Mlle Olympe de Treguern.

Chacun voulait la voir, et quand on l'avait vue, la curiosité survivait à l'admiration. Des bruits si étranges couraient sur cette belle jeune fille qui était la fiancée de M. de Feuillans, et dont la vie s'entourait d'un voile mystérieux !

Tout à l'heure encore, on parlait d'elle. Olympe de Treguern avait trop d'admirateurs pour ne point avoir d'ennemis. On commentait son absence, on se demandait pourquoi elle n'était pas là, auprès de la marquise qui lui servait de mère.

Il y avait des gens qui prétendaient savoir qu'une grande froideur régnait entre la marquise et sa nièce. Olympe était l'héritière unique de feu M. le marquis du Castellat, qui avait fait un testament en sa faveur, mais là n'était pas le *casus belli*, car la tante et la nièce n'avaient jamais parlé d'affaires d'intérêt. D'autre part, Olympe n'avait certes pas à se plaindre des sévérités de la marquise ; on la laissait maîtresse absolue de ses actions, et suivant certains bruits, Olympe usait de cette liberté largement.

Ces bruits qui courent dans le monde ont des sources introuvables, comme celles du Nil. Le monde n'accusait pas Olympe en termes positifs ; le monde lui-même, en face de l'angélique fierté de cette enfant, avait peur de n'être pas le plus fort. Mais le monde disait tout bas, avec ses mille voix insinuantes, qu'il y avait un secret dans l'existence d'Olympe.

Le chevalier de Noisy tout seul, l'ancien soupirant respectueux de Laurence de Treguern, niait cela énergiquement. On supposait que le chevalier de Noisy en savait un peu plus long que les autres.

C'étaient des absences subites et imprévues, des éclipses, pourrait-on dire, puisque l'expression favorite des poètes de la Restauration faisait d'Olympe un astre. On avait vu ces éclipses se produire au milieu même d'une fête ; il y en avait qui ne duraient qu'une heure ; d'autres fois, Olympe ne revenait qu'au bout d'une semaine ; dans une circonstance récente, ceux qui étaient à l'affût de ce petit mystère l'avaient cherchée en vain durant la moitié d'un mois.

Où allait-elle ? Gabriel de Feuillans, son fiancé, le savait-il ? Depuis quelque temps, Gabriel de Feuillans, pour sa grande affaire de tontine, était plus souvent à Londres qu'à Paris. Où allait-elle ? En ces circonstances, la marquise du Castellat se bornait à répondre invariablement que sa nièce était indisposée.

Mais, quand une riche héritière est malade, les médecins ne manquent pas, et les médecins n'ont jamais été accusés de mutisme. Quand on lui parlait d'Olympe, le médecin de la marquise tournait ses pouces gravement et faisait de la tête un signe d'ignorance. Un jour qu'on le poussait, il affirma sérieusement qu'il n'avait pas été appelé une seule fois à l'hôtel pour Mlle de Treguern. Il n'avait à s'occuper que des nerfs de la marquise. Cela devait être vrai ; en fait de visites, le docteur était incapable de mentir par soustraction.

Il est de ces maladies si malheureuses et si terribles qu'on les dissimule comme une honte ; le patient se cache pour souffrir ; il empêche le jour de pénétrer dans sa retraite, comme s'il ne voulait point que le soleil vît l'horreur de ses convulsions ; il ferme tout passage au bruit comme s'il avait peur qu'une porte entr'ouverte ne révélât le secret de ses hurlements ou de son râle.

Mais il y avait une si douce fraîcheur sur les joues d'Olympe, tant de vigueur flexible dans sa taille, tant de légèreté dans sa marche, tant de vie jeune et vaillante dans son sourire ! Comment croire ? Et, cependant, on parlait de certains jours où la pâleur venait remplacer l'incarnat de ce teint éblouissant, où la tristesse mortelle noyait ce beau sourire.

En somme, si ce n'était pas cela, qu'était-ce ? Où allait-elle ?

Il se trouvait bien de ces gens qui, comme M. de Noisy, veulent expliquer tout naturellement, et qui disaient : C'est une jeune fille qui s'enferme pour rêver, c'est une enfant gâtée qui a ses caprices. Mais ces sages, loin d'étouffer la discussion, l'irritent et l'enveniment.

Les caprices ont des bornes, et la rêverie ne doit pas aller jusqu'au somnambulisme. Expliquez donc, puisque vous voulez tout expliquer, pourquoi l'on avait vu, un certain soir que Mlle de Treguern était *indisposée*, une jeune fille, en tout semblable à Mlle de Treguern, elle-même ou son ombre, franchir la grille munie de persiennes de cette petite maison située derrière les jardins de l'hôtel du Castellat : la petite maison qui donnait sur ce terrain triangulaire où prit fin la course nocturne de Tanneguy le Breton, lorsqu'il s'évanouit auprès du corps de Stéphane Gontier, son ami et son frère. Stéphane habitait cette maison.

Il y a des ressemblances. On avait pu se tromper. Seulement, on citait je ne sais quel récit d'un gentilhomme qui s'était rencontré sur la route de Bretagne, à cinquante ou soixante lieues de Paris, avec une chaise de poste brisée. C'était à l'époque de cette indisposition, ou éclipse plus longue que les autres, qui avait privé les admirateurs d'Olympe de la vue de leur astre pendant quinze jours au moins. Le gentilhomme s'était avancé pour offrir ses services ; une jeune femme avait paru à la portière de la chaise brisée, et à la vue du gentilhomme, un geste plus rapide que l'éclair avait rabattu son voile. Mais il n'est point de geste si rapide que ne puisse devancer le regard, et le gentilhomme disait que dans cette chaise brisée sur la grande route, au milieu d'une lande de Basse-Normandie, il avait cru reconnaître Mlle Olympe de Treguern.

Noisy le Sec avait donné un coup d'épée à ce gentilhomme. Un coup d'épée ne prouve rien. Cependant, avant d'entamer le chapitre d'Olympe, on s'assurait volontiers que Noisy le Sec n'était pas à portée d'entendre.

C'était une tête de brune, délicate et à la fois décidée, pensive, mais souriante aussi, mais gracieuse surtout et portant, avec un naïf orgueil, sa poétique couronne de beauté. Elle pouvait avoir vingt ans ; toutes les joies, tous les espoirs de la jeunesse rayonnaient sur son front. Au fond de son regard limpide, on devinait comme un trésor de vaillance, de tendresse et de pureté.

Paris, l'immense écrin des perles de beauté, le parterre émaillé de fleurs animées, Paris ne possédait point de perle plus parfaite, point de fleur plus doucement épanouie. Les poètes disaient que cette délicieuse Olympe, dont les cheveux noirs prodigues ruisselaient sur ses tempes nacrées, dont les yeux bleus glissaient leurs rayons suaves entre ses long cils recourbés sous l'arc d'ébène que dessinaient fièrement ses sourcils, dont la bouche sérieuse laissait échapper, quand venait à s'entr'ouvrir le corail de ses lèvres, un sourire angélique – les poètes disaient qu'Olympe, la belle entre les belles, la noble, la fière, la bienheureuse, était un rêve du ciel.

Le commandeur Malo remit Olympe entre les mains de la marquise, tandis que M. Privat, s'approchant brusquement de Feuillans, lui disait :

– Pour cela, non, monsieur, Marianne de Treguern ne sait pas le nom de tous ceux qui, ce soir, ont eu l'entrée de sa maison !

C'était, sous la grande charmille, un lieu que la marquise avait choisi dès longtemps pour tenir sa petite cour. On voyait, à travers la verdure, l'éblouissante clarté de la salle de bal, et les accords de l'orchestre arrivaient là, voilés et plus suaves. Pour toute lumière, on n'avait que les rayons perdus des ifs plantés au revers des bosquets. Ces lueurs éclairaient encore assez vivement le côté du berceau où s'asseyait la marquise, environnée de son cercle intime, mais la partie opposée, qui avait une issue sur les massifs voisins du pavillon Louis XV, restait plongée dans l'ombre. Le commandeur, en effet, avait éteint de sa propre main les lampions qui entouraient sa mystérieuse demeure.

Le commandeur était là, debout, adossé contre un arbre.

– Et vous, Feuillans, demanda-t-on, car l'entretien roulait comme d'habitude sur les choses de l'autre monde, nous direz-vous enfin si vous croyez aux revenants ?

– Je n'ai jamais vu de revenants, répliqua le beau Gabriel

– Madame, dit Champeaux à sa voisine, j'avais une tante qui savait un tas de contes à dormir debout. Je suis bien fâché de les avoir oubliés : j'aurais eu le plaisir de les narrer en détail.

– J'aurais parié, murmura le baron Brocard à l'oreille de Noisy, en regardant Olympe, que c'était notre amazone de l'avenue de Madrid !

– Vous eussiez perdu, repartit sèchement le chevalier.

– On parle chez nous, dit M. Privat avec une timidité feinte ou réelle, et, si je prends la liberté de citer mon pays, c'est que j'ai l'honneur d'être le compatriote de madame la marquise, on parle de revenants qui ne se montrent point et dont les voix s'entendent seulement dans la nuit.

– Vous êtes du pays d'Orlan ? s'écria-t-on à la ronde.

M. Privat s'inclina modestement. Vingt voix prononcèrent à la fois le nom des trois Freux, dont on avait parlé si souvent à l'hôtel du Castellat. Et le cercle se rétrécit autour du petit homme. Gabriel de Feuillans était à une dizaine de pas du commandeur Malo. Vis-à-vis d'eux, après la contredanse, Olympe de Treguern vint s'asseoir.

– Mesdames, répondit M. Privat avec simplicité, je ne sais quel hasard a porté jusqu'ici la renommée de cette triple apparition qui effraie les bonnes gens du bourg d'Orlan, et si quelque chose m'a étonné dans ce monde brillant où tout était nouveau pour moi, pauvre légiste de village, ç'a été, assurément, d'entendre citer nos spectres campagnards, qui doivent être bien flattés de cet honneur.

Il glissa un regard vers Olympe de Treguern.

– Autrefois, continua-t-il en s'adressant à elle directement, il y avait un manoir qui portait le nom de votre noble famille, mademoiselle. M. de Feuillans, ajouta-t-il en saluant Gabriel, rendra sans doute ce nom au château qu'il a fait bâtir, quand il sera devenu votre époux. C'est autour des murailles toutes neuves de ce palais que les trois Freux viennent à l'heure de minuit. M. le commandeur Malo sait bien qu'il y avait une prophétie annonçant que le dernier comte de Treguern mourrait trois fois. Les gens de la Grand'Lande pensent que cette apparition, connue sous le nom des Trois Freux, n'est autre chose que Treguern trois fois mort qui vient visiter les lieux où fut la maison de son père.

M. Privat s'était adressé successivement à Olympe, à M. de Feuillans et au commandeur. Le commandeur, Feuillans et Olympe gardèrent tous les trois le silence.

La marquise jouait avec son éventail ; contre son habitude, un sourire sceptique courait autour de ses lèvres. Le baron Brocard haussait les épaules franchement ; Noisy écoutait de toutes ses oreilles.

– Quant à Valérie-la-Morte, reprit M. Privat, on a commencé de la voir sous les saules qui environnent la Tour-de-Kervoz, à l'époque où la plus jeune sœur du comte Filhol passa malheureusement de vie à trépas.

– Laurence ! murmura le chevalier de Noisy, qui serra sans le savoir le bras du baron Brocard.

– Balivernes ! grommela celui-ci.

Un tressaillement convulsif avait agité les lèvres de Feuillans. Derrière la charmille, Josille et la petite Vevette passèrent, portant des plateaux de rafraîchissements vers la salle de bal.

– Je te dis que je l'ai vue ! disait Josille avec impatience, comme je te vois, la Vevette ! Peut-être bien que j'ai des yeux !

– Je te dis que tu as la berlue ! ripostait la petite fille.

– Elle a passé au bas du mur, pendant que j'allumais sur la terrasse, reprit Josille, ses cheveux étaient en désordre et tombaient sur sa mante.

– Pendant que tu allumais sur la terrasse, mademoiselle était justement à sa toilette !

– Alors elle est double, ou bien je suis *fainé*.

– Tu es innocent, voilà tout, s'écria la jeune fille, qui le poussa en avant.

Mais Josille résista.

– Toi, dit-il, tu es comme le baron Brocard, qui ne croit à rien !

– Et toi, répliqua Vevette, tu es comme le chevalier de Noisy qui prend les vessies pour des lanternes et qui raconte le matin sans rire tout ce qu'il a rêvé dans la nuit.

– Écoute ! je n'ai point rêvé : la preuve, c'est que je me suis laissé couler jusqu'en bas du mur pour voir par où notre demoiselle avait disparu. Quand j'ai été dans le chemin qui est là au pied de la terrasse, je n'ai rien vu, mais tu sais bien la maison avec une porte verte et une petite grille ici tout près ?

– Eh bien ? dit Vevette que la curiosité prenait malgré elle à la fin.

– Eh bien ! j'ai entendu qu'on parlait derrière les barreaux… Devine qui ?... Stéphane Gontier que nous avons connu au pays.

– Puisque c'est là qu'il demeure ! dit Vevette.

– Et M. Gabriel ! acheva Josille.

– Ah ! murmura la fillette en se rapprochant. Et que disaient-ils ?

– M. Gabriel disait comme ça : Vous avez des fonds ; prêtez-moi cent mille francs pour trois jours.

– Est-ce bien possible ! Et Stéphane répondait ?

– Il répondait qu'il ne voulait point, et M. Gabriel se démenait pour lui faire croire qu'il allait être riche comme un Crésus et qu'il partagerait avec lui. Et le Stéphane répondait toujours : Nenni, nenni, merci bien : je n'ai point confiance en vous !

Ils se trouvaient en ce moment au revers de la charmille, formant le cabinet de verdure où la marquise et son cercle étaient réunis. Vevette déposa son plateau par terre et prit le bras de Josille ; de son autre main, elle écarta quelques branches, de manière à glisser un coup d'œil dans le cabinet de verdure.

– Regarde ! dit-elle à voix basse, voici M. Gabriel de Feuillans et voici Mlle Olympe de Treguern !

Josille avança la tête et regarda.

– Les vois-tu ? demanda la fillette.

– Je les vois, répondit Josille.

– Eh bien ?

– La main sur la conscience, répéta Josille presque solennellement, c'était bien lui et c'était bien elle !

IX

Le cabinet de verdure

La petite Vevette demeura un instant pensive, puis elle reprit son plateau en disant :

– Mon pauvre Joson, tu ne feras jamais qu'un failli gars !

À l'intérieur du cabinet de verdure, M. Privat, qui était décidément l'orateur du moment, disait :

– Il faut avouer que le décor est pour beaucoup dans le succès de ces drames de revenants. Si vous aviez vu le pâtis de Treguern où se dresse cette grande ruine qu'on nomme la Tour-de-Kervoz ; si vous aviez vu le cimetière d'Orlan, le triple cercle des Pierres-Plantées et le ravin qui surplombe le chemin des Troènes, vous comprendriez bien mieux tout cela.

« Et pourtant, reprit-il en regardant autour de lui, on n'est pas mal ici non plus. Ces bosquets sont vastes, ces ombrages impénétrables. J'ai vu quelque part, là-bas, en passant, des grottes sombres comme l'entrée de l'enfer. Et ne m'a-t-on pas dit que ces ruelles qui bornent l'enclos ont servi de théâtre à plus d'une tragique aventure ?

Il y eut un silence.

– Tout y est, reprit M. Privat lentement ; les bâtiments grands et vieux, les longs corridors, l'isolement profond, les chambres condamnées où reste le souvenir de ceux qui ne sont plus. Proportions gardées entre la Bretagne, qui est le pays des ténèbres, et Paris, patrie des lumières, je crois qu'un amateur pourrait placer encore ici de fort belles apparitions.

Le commandeur Malo s'agita et sembla flairer au vent, comme un limier qui tâte les lointaines fumées.

– Treguern est près d'ici ! murmura-t-il.

Puis, élevant la voix pour la première fois, il dit :

– Avocat, où est le jeune homme qui était avec vous dans l'intérieur de la diligence ?

– Monsieur le commandeur, répliqua M. Privat, la ville est

grande et l'enfant paraît avoir de bonnes jambes ; s'il court encore, il doit être loin.

Malo croisa ses bras sur sa poitrine.

– L'heure approche ! gronda-t-il entre ses dents serrées ; mais celui qui doit mourir n'est pas ici, car je ne vois pas le voile.

Le regard de M. Privat, mobile et perçant, allait sans cesse de la marquise à Gabriel de Feuillans. La marquise avait repris une apparence de calme ; Feuillans dédaignait évidemment de se mêler à l'entretien ; le cercle était, au contraire, dans d'excellentes dispositions pour écouter des histoires : la parole vague et emphatique de M. Privat avait éveillé son appétit curieux sans lui donner la moindre pâture, et la présence du commandeur mettait dans l'esprit de chacun ce bon effroi préliminaire qui double le prix des récits de veillée.

La danse était là, tout près, c'est vrai, la danse avec son nimbe lumineux et la joie de ses bruits. Mais qui ne sait le pouvoir des contrastes ? L'éclat de la salle de bal ajoutait vraiment au sombre aspect du cabinet de verdure.

– Ne sait-on rien de plus sur ces trois êtres surnaturels, demanda une jolie vicomtesse ; les trois Freux ?

– Belle dame, on sait d'abord qu'ils n'existent pas ! s'écria le baron Brocard, pressé d'établir sa position d'esprit fort.

– Voici que je me souviens de l'histoire de ma tante ! dit Champeaux en frappant dans ses mains avec triomphe ; quand elle était jeune, elle voyait toujours un mouton blanc... non, un mouton noir... enfin, un mouton noir ou blanc. La chose certaine, c'est que c'était un mouton. Ce mouton...

– Si fait, madame, répondait cependant M. Privat, on croit en savoir davantage : et il faut bien qu'il y ait quelque chose de réel au fond de toute cette fantasmagorie, car les pauvres gens de la Grand'Lande n'auraient certes point inventé certains détails. Si je ne craignais d'abuser...

– Parlez, monsieur, parlez ! cria-t-on de toutes parts.

– Soit qu'on dise que l'apparition n'est que la forme triple du dernier Treguern, reprit le petit homme, soit qu'on admette trois spectres différents, liés entre eux par une chaîne mystique, car ils ne se séparent jamais, la croyance commune est qu'ils viennent sur la terre pour venger le sang répandu... un meurtre ou trois meurtres. Valérie-la-Morte, suivant la même croyance, est leur servante, leur sentinelle ou leur courrier. Le commandeur Malo pourrait vous dire comme moi qu'ils ont eu plus d'une fois en leur pouvoir l'objet de leur vengeance...

– Ils l'ont eu, prononça Malo froidement, ils l'auront.

– Et ils ne l'ont point frappé, continua le petit homme ; loin de là, ils l'ont protégé ; si bien que celui-là, regardant derrière lui avec orgueil, car il est parti de bien bas, et mesurant la route parcourue, s'est dit parfois en lui-même : Où est l'obstacle qui pourrait m'arrêter ?

Feuillans changea de posture et fixa son regard sévère sur M. Privat qui ne parut point s'en apercevoir.

– Celui-là, poursuivit-il, trouve chaque matin sa besogne faite et sa route aplanie. Il ne voit même pas la main qui l'aide, et s'il a senti parfois le pouvoir occulte qui le presse et qui l'entoure, c'est lorsqu'il a voulu s'arrêter sur la pente terrible. En ces moments de remords et de doute, il a dû deviner sa damnation aux voix qui lui disaient : Marche ! marche !

M. Privat s'interrompit, et l'on put entendre Champeaux qui continuait :

– Maintenant que ça me revient, ce mouton était une chèvre qui marchait debout sur ses pattes de derrière. Ma tante eut envie d'entrer au couvent.

– On connaît donc celui qu'ils poursuivent sur la terre ? demanda encore la jolie vicomtesse.

– Moi, je le connais, répondit M. Privat.

Il y eut, comme on disait aux temps parlementaires, sensation prolongée dans le cercle. Feuillans se prit à sourire avec dédain.

– Et ne nous direz-vous point comment ils sont faits, vos trois revenants ?

– Deux vieillards et un homme jeune encore qui a les cheveux et la barbe plus blancs que la neige.

Il fut interrompu par un cri faible, et chacun put voir la marquise, blême de terreur, se rejeter en arrière.

– Les voilà ! les voilà ! balbutiait en même temps la vicomtesse qui cachait son joli visage derrière son éventail frémissant.

La marquise avait la bouche grande ouverte et ses deux mains tremblaient en désignant, comme malgré elle, un vide de la muraille de verdure qui se trouvait derrière Gabriel de Feuillans. Tous les regards avides suivirent l'indication de ce geste. Les uns ne virent rien qu'un trou sombre dans la feuillée ; quelques autres crurent distinguer un mouvement confus dans le noir ; d'autres enfin, et Noisy le Sec était à la tête de ceux-là, jurèrent qu'ils avaient aperçu trois visages sans corps : deux têtes de vieillards et une figure qui gardait les apparences de la jeunesse, bien qu'elle fût encadrée dans une chevelure blanche.

Gabriel de Feuillans s'était retourné comme tout le monde ; il fut de ceux qui ne virent rien.

– Ma parole ! murmura le gros baron Brocard, je crois que la marquise finira par faire machiner son jardin comme le théâtre de l'Opéra, pour donner à ses invités des émotions agréables !

Olympe de Treguern quitta la place qu'elle occupait vis-à-vis de Feuillans, traversa le salon de verdure en silence et sortit par la troupée même où les trois prétendus spectres s'étaient montrés. Il y eut un murmure d'étonnement. Pendant quelques secondes, on put suivre la robe blanche d'Olympe sous les arbres, puis la vicomtesse, qui restait frappée, balbutia d'une voix éteinte :

– Elles sont deux !

Un instant, ceux qui étaient en face de la troupée purent voir, en effet, deux robes blanches, puis tout disparut.

Quelques minutes après, le cercle intime de madame la marquise avait quitté le salon de verdure. Croyants et sceptiques s'étaient éloignés sous l'impression d'un vague malaise ; les plus frappés avaient cherché un refuge jusque sous les girandoles de la salle de bal.

Le commandeur Malo et Gabriel de Feuillans restaient seuls, à dix pas l'un de l'autre, dans le cabinet de verdure. Le commandeur était toujours debout, appuyé contre son arbre. Feuillans, assis à l'autre extrémité du berceau, tenait son front pâle entre ses mains.

– Faux prêtre ! dit tout à coup le commandeur, quand tu vas être plus riche que le roi, que me donneras-tu pour mon silence ? Et que me donneras-tu pour la parole que j'ai prononcée dans l'église d'Orlan, le jour où l'on apporta les deux enfants au baptême ?

– Parlez-vous sérieusement, Malo de Treguern ? demanda tout bas M. de Feuillans, et peut-on acheter votre alliance ?

La haute taille du commandeur se redressa.

– J'étais à la place où je suis, dit-il ; à la place où tu es, le marquis du Castellat s'asseyait la veille de sa mort. Le voile tomba là.

Il montrait le centre du berceau.

– Faux prêtre ! poursuivit-il, je te regarde toujours et j'attends que le voile tombe. À la place du vieux manoir, il y a déjà un jeune palais. Patience ! patience !

Le commandeur se dirigea vers l'issue qui conduisait à la salle de bal. En passant auprès de Feuillans, il ajouta :

– M'acheter, toi, Le Brec ! Il y a vingt ans que je te l'ai dit et je te le répète, aujourd'hui que l'heure approche : tu mourras avant moi et tu mourras plus pauvre que moi !

À l'instant même où le commandeur Malo disparaissait au détour de la charmille, une voix s'éleva dans la nuit des bosquets qui se prolongeaient jusqu'au pavillon Louis XV.

– Qu'importe la bravade impuissante d'un vieillard ? disait-elle. Ton étoile est dans le ciel, toujours plus brillante et plus fière. Marche !

Deux autres voix répondirent :

– Marche ! marche !

Feuillans souleva sa tête à demi.

– Marche ! marche ! murmura-t-il comme en un rêve. Oui, oui... les morts m'ont ouvert la route et m'ont poussé en avant !

– Il n'y a plus qu'un pas ! dit la voix qui avait parlé la première.

Feuillans se leva tout droit ; ses cheveux se hérissèrent sur son crâne.

– Morts ! dit-il en dominant le tremblement de sa voix, qu'y a-t-il au-delà de ces heures si courtes qu'on appelle la vie ?

Ce fut comme un murmure indistinct qui sembla descendre du feuillage caressé par la brise. Ce murmure disait :

– Le sommeil !

– Le néant ! reprit Feuillans dont la tête orgueilleuse se redressa. Mais alors, d'où viennent-ils, ceux qui me parlent ?

Les voix se taisaient sous le couvert ; on n'entendait que les gais accords de l'orchestre. Feuillans regarda le ciel à travers la voûte de verdure.

– Mon étoile ! dit-il ; la voilà qui touche au zénith. Plus rien qu'un pas, c'est vrai : Marche ! marche ! Mes mesures sont bien prises, cette fois comme les autres... cent témoignages pourraient établir au besoin ma présence au bal de madame la marquise. Pour m'accuser de ce meurtre, il faudrait être fou !

– Fou ! répéta un faible écho.

Feuillans avait les mains convulsivement croisées. Il pensait :

– Cet enfant, ce Stéphane, est beau, jeune, heureux...

– Mais l'heure s'écoule ! dit-il au lieu d'achever ; dans quelques minutes, il sera trop tard !

Feuillans passa ses deux mains sur son front baigné de sueur. Il fit un pas vers le bosquet ; il s'arrêta, lutta un instant contre lui-même, et reprit sa marche impétueusement. On n'entendit plus rien sous le couvert.

Au bout de quelques secondes, un bruit léger se fit. Les lumières lointaines de la fête éclairèrent une forme indistincte et presque diaphane qui se glissait sous les branches inclinées. Vous eussiez dit une de ces filles de l'air, âme sans corps que la brise des nuits promène par les solitudes. Elle entra dans le berceau. C'était une jeune femme. Ses grands cheveux dénoués tombaient, épars, autour de son visage plus blanc que sa robe blanche. Nous n'avons point de mots pour peindre la mélancolie exquise de sa beauté.

Elle ressemblait à ce portrait de jeune fille qui était dans le boudoir de la marquise, le portrait de Laurence de Treguern, comme le souvenir fugitif et voilé ressemble à la réalité heureuse.

Un instant elle resta le dos tourné aux lueurs qui venaient de la salle de bal, la tête penchée et attentive, regardant du côté où Feuillans avait disparu. Puis elle se retourna et son visage, éclairé tout à coup, montra ses grands yeux timides où je ne sais quel nuage semblait voiler la pensée. Ses lèvres s'entr'ouvrirent et laissèrent tomber quelques vers de cette chanson douce que les jeunes mères bretonnes murmurent auprès du berceau de leur ange endormi : la chanson avec laquelle Laurence de Treguern berçait autrefois le sommeil de la petite Olympe, au temps où elle restait seule, les nuits, dans le manoir abandonné.

Était-ce une pauvre âme en peine ? Elle vint se mettre à la place occupée naguère par Gabriel de Feuillans ; et ses deux coudes s'appuyèrent au dossier du banc. C'était comme un balcon d'où elle pouvait voir le joyeux mouvement de la fête. Ses yeux se baissèrent, éblouis par des clartés trop vives. Quand elle les releva, un vague sourire brillait dans sa prunelle. On dansait ; sa tête charmante se prit à suivre la mesure. Un son passa entre ses lèvres, elle murmura :

– Malheureuse et belle... étais-je belle ?

Deux larmes roulèrent sur sa joue.

En ce moment, un cri terrible se fit entendre du côté de la terrasse. L'orchestre se tut, et tout devint confusion dans la salle de bal. Les invités de la marquise se précipitèrent vers la terrasse. Au bas du mur, sur la place triangulaire, devant la grille aux persiennes vertes, il y avait deux hommes étendus qui semblaient morts tous les deux. C'était notre jeune Breton Tanneguy qui venait de tomber, privé de sentiment, sur le corps de son ami Stéphane.

Quand Tanneguy s'éveilla de son évanouissement, la petite place triangulaire qui séparait le jardin de la marquise de la maison louée par Stéphane Gontier était encombrée de curieux. À minuit comme à midi, Paris est toujours prêt pour ces sortes de représentations. Aux lueurs brillantes des lampions, on voyait la terrasse de l'hôtel du Castellat toute pleine de femmes en grande parure.

Tanneguy regarda tout autour de lui. En ce premier moment, il n'avait aucune idée de ce qui s'était passé. Il se demandait pourquoi toute cette foule s'agitait en tumulte et criait. Il entendait répéter autour de lui :

– C'est ici même qu'il a été assassiné !

– À la porte de sa propre maison !

Une vague angoisse serra le cœur de Tanneguy, qui commençait à ressaisir le fil de ses idées. Il vit des gens qui le montraient au doigt et qui ajoutaient :

– On a trouvé celui-là couché en travers sur le corps !

Le corps ? Tanneguy se souvenait. L'assassiné, c'était Stéphane !

Mais où était-il, Stéphane, ou ce qui restait de lui ? Tanneguy cherchait en vain, le corps n'était plus là. En cherchant, il vit au-devant de la porte en persiennes trois personnages vêtus de noir qui formaient un groupe à part : il y avait deux vieillards et un homme, jeune encore, dont les cheveux étaient blancs comme la neige.

Un frisson parcourut les veines de Tanneguy ; ces hommes, il les avait vus ailleurs et plus d'une fois. Il se rappelait les paroles menaçantes qu'il avait entendues naguère sous les arbres des Champs-Élysées.

Mais il n'eut pas le temps de réfléchir, parce qu'une voix s'éleva sur la terrasse illuminée et prononça son nom distinctement. Tanneguy tressaillit et releva les yeux ; il aperçut son petit compagnon de voyage, M. Privat, qui était accoudé sur la balustrade de la terrasse et qui essuyait avec soin les verres de ses lunettes rondes. M. Privat n'avait plus sa casquette pointue ; il était, lui aussi, en costume de bal.

Auprès de lui, Tanneguy reconnut avec une indicible stupéfaction cette jeune fille qui l'avait guidé jusqu'au lieu même où il était maintenant, la belle, la chère vision de ses nuits de Bretagne, celle que M. Privat avait nommée Valérie et que les bonnes gens d'Orlan appelaient « la Morte ». Elle avait une robe blanche ; quelques fleurs d'églantier pendaient parmi les boucles de ses cheveux noirs. Elle était belle et calme ; son regard tout plein de sérénité se fixait sur Tanneguy. Celui-ci restait comme frappé de la foudre.

Il entendit M. Privat qui demandait en montrant au doigt :

– Que pensez-vous qu'il faille faire de ce grand garçon-là, monsieur de Feuillans ?

M. de Feuillans, en qui Tanneguy reconnut le maître de Château-sans-Terre, répondit :

– Je pense qu'il faut s'assurer de lui jusqu'à l'arrivée de l'autorité.

Privat fit une pirouette et assujettit ses lunettes essuyées en leur lieu.

– Et vous, monsieur le commandeur ? demanda-t-il encore.

La tête pâle et triste de Malo dominait la galerie. On le vit sourire étrangement, tandis que son regard tombait sur le jeune Breton.

– Cela est nécessaire, murmura-t-il si bas que personne ne put l'entendre, pour que le nom de Treguern soit relevé !

– Mes amis, dit la marquise, en s'adressant à la foule, emparez-vous du meurtrier !

Tanneguy la regarda et reconnut en elle la grosse dame qu'il avait vue descendre de sa calèche avec un chien mouton, dans la rue déserte où cette fatale date du QUINZE AOÛT était en caractères géants sur toutes les murailles. Il se fit un mouvement dans la foule, tandis que M. Privat, saluant la grosse dame en souriant, lui disait :

– Madame la marquise, j'ai fait cent lieues avec ce jeune gaillard, dont douairière Le Brec vous annonçait l'arrivée dans sa lettre, et je vous préviens qu'on trouvera dans son portefeuille une autre lettre de recommandation qu'il a pour vous.

Marianne de Treguern cacha sa pâleur derrière son éventail.

– Ce serait lui ! balbutia-t-elle avec épouvante.

– En propre original ! répondit tranquillement monsieur Privat.

X

Comte de Treguern

On ne dansait plus dans les jardins de la marquise. L'orchestre avait reçu congé. Ce lugubre épisode qui venait d'avoir lieu ne permettait plus la joie bruyante ; la fête avait changé de caractère. Mais la fête n'était point finie ; elle avait fait retraite seulement devant l'odeur du sang et s'était réfugiée jusque dans les salons de l'hôtel.

Chose singulière, les rangs de la noble cohue ne s'étaient point trop éclaircis. D'ordinaire, de moindres catastrophes suffisent à disperser ces rassemblements frivoles. Dès qu'on ne peut plus se réjouir, on s'en va : c'est la règle. Pourquoi la fête de madame la marquise survivait-elle au plaisir défunt ? était-ce pour parler du drame récent, pour en ressasser à loisir tous les détails et toutes les circonstances ?

Pas le moins du monde, et c'est à peine si quelques radoteurs entêtés s'obstinaient à parler de cette vieille histoire qui était âgée d'une heure. Il y avait autre chose ; il y avait un autre drame en cours de représentation. Des bruits vagues circulaient çà et là, répandus on ne sait par qui, et les hôtes de madame la marquise restaient tout bonnement pour savoir.

Le roman dont il s'agissait maintenant ne ressemblait guère à cette brutale tragédie qui venait de se dénouer dans la ruelle voisine. C'était un roman d'intrigue, une haute comédie toute pleine de mystères élégants et de péripéties dorées. Le héros était Gabriel de Feuillans, l'héroïne, Olympe de Treguern ; on parlait de mariage et l'on parlait de millions.

Il y avait bien longtemps que le monde s'occupait de ces rumeurs vagues qui couraient sur le compte du beau Gabriel. Cette histoire de la tontine anglaise à cent mille francs d'annuité et des quinze ou vingt millions qu'elle devait rendre était si connue qu'elle passait à l'état de conte d'enfant : on n'y croyait plus, ou du moins, on se disait que Feuillans allait échouer au port, qu'il était à bout de ressources, et que les usuriers lui demandaient, profitant de sa nécessité suprême, la moitié de ses vingt millions pour les derniers cent mille francs !

Mais, ce soir, les vagues rumeurs changeaient d'aspect. Plus de doute, le nuage d'or avait crevé. Feuillans avait trouvé ses cent mille francs, il avait gagné l'immense partie engagée. Il était riche à millions.

Pensez si l'on pouvait s'occuper encore d'un pauvre garçon égorgé dans un trou ! Qu'est-ce que cela, un meurtre ? chaque année, il y en a des centaines. Mais vingt millions (peut-être plus !) gagnés ainsi en un coup de cartes, voilà un événement ! voilà une mine d'émotions ! rien que d'y songer, le cœur saute dans la poitrine. Écoutez ! c'est de la force d'un tremblement de terre. Il n'y a point de meurtre qui tienne. Je crois qu'un quartier incendié, ou même une ville inondée, n'intéresserait pas autant que cela.

Parce que tout homme est joueur, parce que tout homme a eu ce rêve extravagant qui cherche à se rendre compte du délire qui le saisirait en face de ce bonheur impossible !

Vous représentez-vous bien la figure d'un homme qui a gagné vingt millions ? un million de revenus ! à 5% ! 83.333 fr. 33 à dépenser par mois sans entamer son capital ! Ne doit-il point avoir des rayons au front comme le soleil ? Ses pieds touchent-ils encore la terre ? Encore, les millions étaient-ils bien moins communs qu'aujourd'hui.

C'est pour cela que chacun voulait contempler l'illustre Gabriel. On ne voit pas deux fois en sa vie pareille transfiguration. Les hôtes de la marquise, émus, recueillis, attendris, cherchaient ce beau Gabriel ; les moins expansifs éprouvaient le besoin de le porter en triomphe.

Gabriel, cependant, avait à peu près son visage de tous les jours : peut-être était-il un peu plus pâle qu'à l'ordinaire. Un homme rayonnant, c'était le petit avocat Privat. En le voyant, vous eussiez dit l'héritier présomptif de M. de Feuillans. Il s'agitait : c'était sa nature. On l'avait vu causer tout bas avec la marquise, glisser un mot à l'oreille du commandeur, échanger un regard avec Olympe de Treguern. Il avait accaparé le demi-dieu ; il tenait Feuillans dans l'embrasure d'une fenêtre et lui parlait avec volubilité.

Quand il quitta Feuillans, on l'entoura comme si c'eût été un personnage. Il se posa, et dit entre autres choses remarquables :

– Bien que je n'aie point l'honneur d'appartenir à la famille, la confiance dont veulent bien m'honorer M. le comte de Treguern et Mme la marquise me permettent de parler comme je vais le faire.

– Le comte de Treguern ! répéta-t-on.

– Qui donc appelez-vous le comte de Treguern ? demanda Noisy le Sec.

– Apparemment celui qui a droit de porter ce nom, répondit M. Privat avec importance.

Tous ceux qui connaissaient, ne fût-ce qu'un peu, l'histoire de la maison de Treguern, se regardèrent étonnés. Puis tous les yeux interrogèrent le commandeur Malo, assis à l'écart dans un angle du salon. Le commandeur écoutait M. Privat et ne semblait point disposé à le démentir.

– Nous avons eu beaucoup de peine, reprit M. Privat, qui hocha la tête lentement ; il y avait une opposition souterraine qui nous a donné bien du fil à retordre ! Mais Sa Majesté a daigné s'interposer, et je vous annonce officiellement qu'en épousant Mlle Olympe de Treguern, M. Gabriel de Feuillans prendra le nom de sa femme avec le titre de comte, qui appartient à la famille depuis Tanneguy VII, mort en 1614.

Le commandeur étendit ses deux mains sur les bras de son fauteuil et leva les yeux au plafond. Ses lèvres remuèrent. Il ne parla point.

Ce n'était plus le commandeur qui intéressait les hôtes de la marquise : les regards curieux cherchèrent Olympe. On apercevait Olympe, assise auprès de Mme du Castellat, dans le salon voisin. On pouvait deviner que la marquise faisait à son petit cercle d'intimes une communication analogue à celle de M. Privat.

Il n'y avait pas dans les salons de l'hôtel du Castellat une seule jeune fille qui n'eût troqué avec enthousiasme son sort contre celui d'Olympe. Car Feuillans était de ces hommes qui prennent à la fois l'imagination et le cœur. Pour plaire, il n'avait pas besoin de tous ses millions. Seulement les millions qu'il avait ne nuisaient pas.

Et la colère leur venait, à ces demoiselles, en voyant l'air froid et presque dédaigneux d'Olympe. Pour elles, Olympe ne se bornait pas à être trop heureuse, elle affectait encore de mépriser son triomphe, ce qui est le comble ! Tout le monde avait bien pu remarquer que le regard d'Olympe ne s'était pas porté une seule fois vers son fiancé. Il y avait déjà des âmes compatissantes qui se disaient : « Pauvre monsieur de Feuillans ! il ne sera pas heureux ! »

Le chevalier de Noisy n'interprétait point de la sorte la froideur teintée d'amertume qui était sur le visage de Mlle de Treguern. Ce Noisy le Sec était romanesque. Ses amis l'accusaient, non sans raison, de prêter un aspect mystérieux aux plus simples incidents de notre vie commune. Il avait un peu la tournure du bon chevalier de la Manche, qui prenait les moutons pour des Maures et les moulins pour des géants.

En regardant Olympe de Treguern, Noisy le Sec eut un vif souvenir de cette belle Laurence, qui avait été aussi la fiancée de Gabriel de Feuillans ; il se rappela les singulières paroles prononcées par le pauvre Stéphane, ce matin même, au bois de Boulogne. Stéphane, comparant Gabriel au Vampire, avait laissé percer malgré lui cette crainte inexplicable d'être tué par Gabriel.

Et Stéphane était mort dans la nuit, mort violemment ; Noisy avait vu son cadavre.

Il était assurément impossible d'établir un lien quelconque entre cette mort et Gabriel de Feuillans ; Noisy n'en établissait point. Mais il repassait tout ce qui avait eu lieu au bois : le rendez-vous donné par Feuillans, le billet remis à Stéphane par un jeune garçon inconnu, et surtout cette voix qui était sortie du fiacre au moment où passait la belle comtesse Torquati et qui avait murmuré : *C'est pour ce soir !*

Et comme conséquence inattendue de tout ceci, le chevalier sentait naître en lui la conviction qu'Olympe était sacrifiée. Pourquoi pensait-il cela ? Il n'aurait point su le dire, mais à dater de ce moment, il ne songea plus qu'à s'approcher d'Olympe pour secourir sa détresse prétendue et lui offrir loyalement l'aide de son bras, en cas de malheur.

– Laurence aimait cette belle enfant, se disait-il, Laurence nous voit, Laurence me remerciera dans le ciel !

– Ah ça ! s'écriait en ce moment le gros baron Brocard, c'est fort intéressant de voir M. de Feuillans devenir comte et s'appeler Treguern, mais on nous avait annoncé quinze ou vingt millions, ce qui a bien aussi son intérêt.

On fit silence pour entendre la réponse de M. Privat. Celui-ci enfla ses joues et prit un temps, comme on dit au théâtre.

– Vous dire le chiffre au juste, répliqua-t-il enfin, je ne le puis, mais je crois qu'il y a mieux que cela. On dit que les bénéfices de la « classe » de 1800, au *Campbell-Life*, sont de toute beauté !

– Mieux que vingt millions ! s'écria-t-on de toutes parts.

C'était, en vérité, de la haine qui couvait maintenant dans les œillades sournoises que les danseuses jetaient à Olympe de Treguern. Précisément, M. de Feuillans s'approchait d'elle à cet instant et s'inclinait pour lui baiser la main.

Le prisme qui était devant les yeux de Noisy lui montra le beau visage d'Olympe décomposé et tout empreint d'angoisse. Au moment où les lèvres de Feuillans effleuraient la main de la jeune fille, Noisy crut voir son corps entier tressaillir. Il se fit serment à lui-même de savoir la vérité avant de sortir de l'hôtel.

– C'est au château de Treguern que se fera la cérémonie, poursuivit M. Privat : je ne crois pas être indiscret en disant que tous ceux qui sont ici recevront des invitations pour la fête. Vous verrez, mesdames, ce qu'étaient les domaines de ces grandes familles du bon vieux temps ; vous pourrez marcher tout un jour, et marcher vite, sans rencontrer les limites des terres que le comte de Treguern vient de racheter.

Il s'interrompit et un petit sourire vint à ses lèvres, tandis qu'il ajoutait :

– Quand tout Paris va descendre ainsi au pauvre bourg d'Orlan, je suis bien sûr que les trois Freux et la Morte iront chercher fortune ailleurs !

En ce moment, Gabriel de Feuillans offrait son bras à la marquise pour rentrer dans ses appartements. Les princes seuls ont coutume d'en agir ainsi avec leurs hôtes ; mais quand on a mieux que vingt millions, il est bien permis de faire un peu comme les princes.

Noisy s'élança dans le second salon, où Olympe de Treguern restait seule, et alla tout droit à elle. Le grand salon lui-même commençait à se dégarnir, parce que M. Privat avait enfin terminé son discours.

– J'appartiens corps et âme à tous ceux que Laurence aimait, dit

Noisy ; mademoiselle, n'avez-vous rien à m'ordonner ?

Il pensait être compris à demi-mot, car son esprit avait travaillé, et pour lui, Olympe était une victime condamnée. Un pas pesant sonna sur le parquet de la salle. Noisy se retourna et vit le commandeur Malo qui s'avançait.

– Puisque vous ne pouvez pas me répondre ici, mademoiselle, prononça-t-il d'une voix rapide et basse, je vais attendre au jardin, dans le cabinet de verdure. Vous n'hésiterez pas devant cette barrière frivole qu'on appelle les convenances. Je serai pour vous comme un frère aîné ou comme un père.

Il s'inclina et sortit. Dans le jardin, il n'y avait personne ; on entendait seulement, par delà les bosquets de la cour d'entrée, le bruit tumultueux des équipages ameutés dans l'Allée des Veuves, au-devant de la grille. Cela dura un quart d'heure, puis on n'entendit plus rien.

Quelques lampions achevaient de brûler çà et là sous la feuillée. Noisy allait à grands pas et tête nue. Une fois, deux fois déjà, il était entré dans le salon de verdure et l'avait trouvé vide. La troisième fois, il aperçut une forme blanche assise sur un banc de gazon. C'était Olympe, il reconnaissait sa robe de bal et ses longs cheveux noirs. Seulement ses cheveux étaient dénoués, et il n'y avait plus de fleurs d'églantier dans leurs anneaux.

– Que faut-il faire, mademoiselle ? s'écria Noisy. Je suis prêt à tout.

La jeune fille ne bougea pas. C'est à peine si Noisy apercevait son visage que les boucles inondaient.

– Belle et malheureuse ! murmura-t-elle.

Le cœur de Noisy se serra.

– Est-ce vous, Olympe ? demanda-t-il.

La jeune fille rejeta ses cheveux en arrière et tourna ses yeux vers lui. Il se mit à genoux en poussant un grand cri. Ses mains se joignirent.

– Laurence ! dit-il, Laurence ! c'était pour vous que je voulais la sauver !

La jeune fille se prit à sourire tristement.

– Qui me sauvera, moi ? dit-elle.

Puis elle ajouta en un murmure indistinct :

– Malheureuse ! malheureuse !

La dernière lueur qui brillait dans le bosquet voisin s'éteignit. Un soupir s'échappa de la poitrine de Laurence. Noisy étendit les bras vers elle et ne saisit que l'air impalpable. La robe blanche glissait derrière les arbres – et sous la feuillée, on entendait le chant, lointain déjà, des berceuses de Bretagne...

XI

L'intérieur du pavillon Louis XV

C'était une pièce très vaste, haute d'étage et voûtée comme une chapelle. De chaque côté, dans le sens de la longueur, il y avait des fenêtres. Les murailles poudreuses gardaient encore çà et là quelques traces de fresques mignonnes dont les couleurs tendres essayaient de paraître sous les toiles d'araignées qui tombaient des frises et qui étaient grandes comme des haillons.

Entre les fenêtres, on apercevait des vestiges de sculpture ; on devinait même en deux ou trois endroits le contour coquet de ces cartouches du temps de Louis XV qui encadraient les portraits ou les écussons. Mais ici le temps et la poussière avaient été aidés dans leur œuvre de destruction ; le marteau avait piqué les reliefs, et il semblait qu'un Vandale eût attaqué à coups de maillet la guirlande de nymphes qui courait au-dessus de la corniche.

Autrefois, lorsque ces sculptures souriaient, lorsque ces émaux, brillants et tout neufs, renvoyaient en étincelles gaies la lumière épandue par les lustres de cristal, ce lieu devait être comme un petit temple du plaisir. Maintenant qu'on y respirait une odeur de cave et de sépulcre, quelques souvenirs restaient cependant de sa destination première ; une fantaisie lugubre avait accumulé en ce lieu tous les emblèmes de deuil, tous les objets qui rappellent l'idée de la mort sans pouvoir entièrement effacer les traces du passé gracieux. Quelque part, au milieu des débris de la frise, le marteau avait oublié une écharpe flottante qui livrait au vent sa draperie de marbre ; ailleurs, c'était un lambeau de peinture qui souriait vaguement sous les plis d'un drap mortuaire ; ailleurs encore, derrière une tête de squelette, des roses se perdaient.

Mais nous n'en pourrons dire assez pour que le lecteur se doute, ne fût-ce qu'un peu, de l'aspect offert par ce lieu qui outrepassait les limites du bizarre et qui ne pouvait servir de retraite qu'à un illuminé ou qu'à un fou.

Bien que la pièce fût grande, le mouvement s'y trouvait gêné à chaque pas par une profusion d'objets jetés là en désordre, et dont chacun contribuait, pour sa part, à faire l'ensemble plus étrange et plus sombre. Tout au fond, vis-à-vis de la porte principale, à la place où la cheminée se trouve d'ordinaire, il y avait un tombeau de granit qui avait dû être apporté là pierre à pierre et reconstruit ensuite patiemment. Sur le tombeau, un chevalier vêtu de mailles était étendu, les bras croisés sur sa poitrine, et appuyait ses pieds au ventre d'un grand lévrier.

Le pan de muraille auquel s'adossait ce monument était presque entièrement occupé par un écusson de taille colossale aux émaux de la maison de Treguern, noir et argent, qui avait pour supports deux pleureurs antiques au visage voilé de blanc, avec cette devise : SUB MORTE VITA. À droite et à gauche, c'était un pêle-mêle de fragments informes portant des bribes d'inscriptions, d'urnes funèbres, d'ossements vermoulus et de croix arrachées au sol des cimetières. Sur toutes ces croix se lisait le nom d'un membre de la famille de Treguern.

C'était là tout le mobilier, sauf un lit de sangle étroit, recouvert d'une paillasse plate, et une grande table chargée de compas, d'astrolabes, de parchemins et de fioles de toutes sortes, qui s'appuyait à un vieux bahut chancelant. Le bahut était bourré de bouquins, et ses panneaux disjoints offraient une série de sculptures cabalistiques.

La chambre était éclairée par deux de ces flambeaux noirs qui ont la hauteur d'un homme et qui servent aux funérailles. Deux cierges d'église, fichés dans les pointes de fer, brûlaient mélancoliquement et rendaient à peine les ténèbres visibles.

Un homme était debout devant la tombe, tournant le dos à l'entrée et ne montrant que son large crâne chauve. Il était vêtu d'une robe noire à manches ouvertes, comme les magiciens du temps passé ; il y avait, devant lui, sur le tombeau même, trois grandes caisses de sapin dont les couvercles venaient d'être décloués.

Le lecteur aurait reconnu ces trois caisses, s'il avait pu oublier le visage grave, doux et modeste, du voyageur qui était arrivé de Bretagne dans le coupé de la voiture dont M. Privat et Tanneguy occupaient l'intérieur, et que le domestique de la marquise avait appelé « monsieur le commandeur ».

Il était là chez lui. Cette grande pièce en deuil formait l'étage unique de ce pavillon Louis XV, dont l'extérieur faisait un effet si riant et si gracieux dans les jardins de la marquise.

Les trois caisses apportées de Bretagne étaient pleines de fragments de pierre semblables à ceux qui encombraient déjà le sol du pavillon. Parmi les pierres, il y avait quelques vieux livres et des lambeaux de parchemin. Le commandeur était profondément absorbé par son travail ; son travail consistait à prendre dans une des trois caisses des morceaux de granit au hasard et à les rapprocher de l'un des angles du mausolée qui était brisé.

Le commandeur avait déjà rapproché ainsi bien des pierres, et aucune ne s'était rapportée à la cassure du tombeau ; mais les caisses étaient encore presque pleines, et chaque fois que le commandeur choisissait un nouveau fragment, une étincelle s'allumait dans son œil. Il était facile de voir que cette besogne avait pour lui une importance décisive et qu'il ne s'agissait pas seulement d'une réparation matérielle à faire au vieux mausolée.

– Voilà longtemps que je cherche, murmurait-il, et je n'ai pas encore trouvé ! Bien des pierres ont dû se perdre lorsque ce Gabriel a fait remuer les fondements du manoir, mais toutes choses sont écrites là-haut ; si je dois trouver, je trouverai.

Il s'interrompit en poussant un cri de joie, et un peu de sang vint rougir la pâleur de sa joue. Les angles de la pierre qu'il tenait à la main s'engrenaient à peu près dans les angles frustes de la table tumulaire.

Il se mit à genoux pour mieux voir, on eût pu entendre distinctement les battements de son cœur dans sa poitrine. Sa main tremblait avec violence. Un instant, son âme tout entière passa dans son regard. Mais son œil s'éteignit et la pâleur revint à sa joue. La pierre alla rejoindre celles qui s'amoncelaient déjà dans la poudre.

– Ce n'est pas le même granit ! murmura le commandeur qui croisa ses bras sur sa poitrine.

Puis il ajouta comme pour gourmander son découragement :

– *Sub morte vita !* La vie est sous la mort ! Les jours d'épreuve vont finir. N'est-ce pas demain que s'achève la vingtième année ?

Il resta un instant pensif. Deux heures de nuit sonnèrent à l'horloge enrouée dont les poids pendaient contre la muraille. Il y avait déjà du temps que les jardins de l'hôtel étaient déserts, car la tragique aventure dont les hôtes de la marquise avaient été les témoins avait abrégé, malgré tout, les derniers instants de la fête. Un silence profond régnait au dehors, et l'on n'entendait même pas ce murmure qui est la voix de Paris.

La lumière des deux cierges tombait sur le visage du commandeur, blanc et poli comme un ivoire antique. Ses yeux étaient baissés et des paroles lentes glissaient entre ses lèvres.

– Nous autres Treguern, disait-il, nous sommes les enfants de la tombe ; nos armoiries sont un emblème de deuil ; à une tombe est attaché notre destin... mais tout péché s'expie par la miséricorde de Dieu : et si la science n'est pas vaine, j'ai lu notre nom écrit en lettres brillantes dans le livre de l'avenir.

Il prêta l'oreille comme si un bruit lointain fût arrivé jusqu'à lui.

– Il y a des gens qui veillent, reprit-il avec un singulier accent d'emphase, pour relever la vieille tour ! Les champs portent toujours leur moisson dorée, la rivière coule entre les prés, peuplés de troupeaux ; les moulins tournent au vent qui vient de la mer et les arbres de la forêt ont grandi. La terre attend son maître !

Il s'interrompit pour écouter encore, puis il s'approcha de l'une des croisées et souleva un pan de la serge grise qui servait de rideau. En face de la croisée une longue allée de tilleuls s'étendait ; la lune qui passait entre les branches arrondies en berceau éclairait, çà et là, des statues de marbre qui semblaient plus blanches au milieu de l'ombre. Tout était immobile et silencieux. Le commandeur passa tour à tour ses deux mains sur son front.

– S'il avait dû mourir, cet enfant, pensa-t-il, j'aurais vu le voile !

Il laissa retomber le rideau et vint s'asseoir auprès de la grande table dont la robuste vieillesse fléchissait sous le poids des débris qui l'encombraient.

Le commandeur repoussa un octant rongé de vert-de-gris qui s'en alla grincer contre un alambic muni de sa cornue ; il acheva de se faire une place en rejetant à droite et à gauche deux ou trois poignées de ferraille et s'assit sur la table même, à côté d'une haute pyramide de bouquins. Il y avait là les douze tomes in-folio composés par maître Albert, de Lawiger en Souabe, si connu sous le nom du Grand-Albert ; le *Traité de la philosophie occulte* de Corneille Agrippa ; le *Miroir des apparitions* de Gaufridi ; l'*Héxameron espagnol*, et le *Voyage infernal* de Barthélémy Holzhauser.

Le commandeur prit un volume au hasard dans cette sinistre bibliothèque et se mit à le feuilleter avec distraction.

– Comte de Treguern ! dit-il brusquement en couvrant de sa main la page ouverte, un Le Brec ! n'est-ce pas le dernier outrage ! Treguern ! Treguern ! Treguern ! n'es-tu pas assez mort pour vivre ?

Il reprit sa lecture, mais on pouvait voir que son esprit était ailleurs, et qu'il s'attendait à être bientôt interrompu. En effet, au bout de quelques minutes, la porte principale s'ouvrit tout doucement et sans qu'on eût frappé : Olympe de Treguern se glissa plutôt qu'elle n'entra dans la chambre. Elle avait encore sa robe de bal, mais ses cheveux tombaient en désordre sur ses épaules. Elle traversa la chambre sans prononcer une parole.

– Je vous attendais ! dit le commandeur qui ferma son vieux livre et se mit sur ses pieds ; vont-ils venir ?

La jeune fille passa devant lui sans s'arrêter et fit un signe de tête affirmatif. On entendait un bruit sourd à l'autre bout de la chambre, à gauche du grand écusson de Treguern, qui était derrière le tombeau. Olympe se fraya un chemin au milieu des armes ébréchées, des fragments de pierre et des croix vermoulues pour arriver jusqu'à l'endroit d'où le bruit semblait partir.

Elle toucha un bouton caché derrière la toile antique, et le champ noir semé de larmes d'argent du grand écusson de Treguern, basculant comme le tablier d'un pont-levis, montra une large ouverture béante par où un vent humide et froid se répandit à l'intérieur du pavillon.

Une figure humaine se dessina sur le noir de l'ouverture et entra. Puis deux autres hommes se montrèrent à leur tour, portant une civière recouverte d'un drap. Ils dirent :

– Merci, Valérie.

Olympe s'était effacée pour les laisser passer ; le premier arrivant fit le tour du mausolée et salua silencieusement le commandeur. Il montra du geste la table de pierre où ses deux compagnons qui peinaient sous le fardeau déposèrent le brancard. Olympe appuya ses deux mains contre sa poitrine pour contenir les battements de son cœur ; elle vint se placer derrière le tombeau et resta immobile.

Les trois hommes qui venaient d'entrer avec la civière étaient différents d'âge, de tournure et de visage : le premier paraissait jeune encore, malgré ses cheveux et sa barbe, qui étaient d'une blancheur éclatante ; les deux autres étaient presque des vieillards. Tous trois portaient des costumes de couleur sombre. Celui qui tenait la tête du brancard était grand, vigoureusement charpenté, et la tête longue, terminée par une mâchoire énorme, se couvrait d'une forêt de cheveux grisonnants. Celui qui tenait les pieds du brancard était, au contraire, de petite taille, très chauve, et de faible apparence. L'homme à la barbe blanche avait les traits réguliers et beaux ; sa taille conservait un grand air et il pouvait bien être le chef de ce mystérieux trio.

Malgré les différences physiques qui existaient entre eux, je ne sais quel stigmate indéfinissable marquait ces trois êtres d'un cachet uniforme. Peut-être était-ce seulement qu'ils avaient usé leur vie aux mêmes efforts et mis en commun la passion qui couvait sous la pâleur glacée de leurs visages. Ils avaient dû, ces hommes, s'attaquer à une tâche terrible : ils avaient dû souffrir tous la même peine et tenter le même labeur, car le même signe de résolution morne était dans leurs regards, qui n'avaient plus rien d'humain.

Ils étaient graves, durs, inflexibles ; on voyait bien que leur cœur, qui s'était fait sourd à leur propre souffrance, ne devait point écouter le cri de la souffrance d'autrui. Aucun d'eux n'avait un nom. On désignait l'homme à la barbe blanche sous ce titre : *le Comte*, on appelait le plus grand *le Marchand de diamants*, et le petit vieillard chauve *le Docteur*.

Le commandeur regardait en frissonnant le drap étendu sur la civière ; Olympe, au contraire, détournait les yeux et faisait effort pour retenir ses larmes qui voulaient jaillir.

– Il n'est pas mort ! prononça le commandeur d'une voix altérée, il ne peut pas être mort ! Je n'ai pas vu le voile.

Le comte eut un sourire de moquerie cruelle.

– Treguern est tombé bien bas ! prononça-t-il du bout des lèvres ; le diable ne prend plus la peine de lui tirer sa bonne aventure !

Il souleva le drap qui recouvrait le brancard, et l'on put voir le corps de Stéphane avec son visage livide et sa chemise tachée de sang. Une plainte s'échappa de la poitrine d'Olympe, tandis que le commandeur répétait dans une sorte d'hébétement :

– Il n'est pas mort ! il ne peut pas être mort !

L'aspect du malheureux jeune homme ne démentait que trop ces paroles.

– Le jour vient vite en cette saison, dit le comte avec calme, et il faut qu'il soit en terre avant le jour.

– Voici M. Malo, ajouta le docteur, qui va nous montrer l'endroit où le jardinier de Mme la marquise du Castellat met sa pelle et sa pioche.

Olympe chancelait sur elle-même et se retenait à l'angle de la table. Le commandeur fit un pas en avant et mit sa main sur le cœur de Stéphane ; le souffle de la jeune fille s'arrêta dans sa poitrine.

– Eh bien ! demanda le marchand de diamants au commandeur, qu'en dites-vous ?

– Je ne sens pas son cœur, répondit le bonhomme à voix basse ; mais je sais qu'il n'est pas mort.

Il ajouta en s'adressant au docteur :

– Vous qui êtes médecin, si vous vouliez, vous pourriez le sauver.

Les mains d'Olympe se joignirent malgré elle tandis que ses beaux yeux suppliants se tournaient vers le docteur. Le geste et le regard furent perdus. Le docteur dit froidement :

– Le couteau a pénétré sous la quatrième côte ; il y a eu lésion de l'organe et l'épanchement a déterminé la mort. Ce n'est pas le nègre qui a frappé ce coup-là !

– Si c'est Gabriel lui-même qui a tué le jeune homme, murmura le comte, la justice de Dieu commence sur la terre !

– À minuit, reprit le marchand de diamants, Gabriel était dans les salons de la marquise.

– Un quart d'heure avant, ajouta le docteur, il descendait de voiture à la porte de l'Anglais avec les derniers cent mille francs de la tontine.

– À minuit et demi, prononça le commandeur, Gabriel Le Brec est rentré dans la maison de la victime. Je l'ai vu !

– La maison était déjà cernée ! dit le comte avec inquiétude, par où a-t-il pu sortir ?

Comme il achevait ces mots, on frappa trois coups précipités au revers de l'écusson de Treguern. Les trois inconnus dressèrent l'oreille et se regardèrent. Le comte seul resta calme.

– Éteignez les flambeaux ! ordonna-t-il.

Le marchand de diamants d'un côté, le docteur de l'autre, soufflèrent les cierges qui étaient aux deux angles du mausolée ; la chambre resta seulement éclairée par la lumière de la lune dont les rayons obliques frappaient les fenêtres donnant sur le jardin.

– Cachez-vous ! dit encore le comte, qui saisit Malo à bras le corps et l'entraîna derrière le bahut.

Les deux autres s'étaient accroupis entre la tombe de granit et l'embrasure de la première fenêtre. Au dehors on frappait à coups redoublés, et celui qui heurtait ainsi, croyant sans doute que l'intérieur du pavillon était désert, essayait de forcer l'entrée.

Un silence profond régnait désormais dans la retraite du commandeur. Tous les objets avaient changé d'aspect et ces rayons de lune, tamisés par la serge des rideaux, jetaient partout de grandes ombres parmi lesquelles le mausolée, les urnes et les croix semblaient surgir, estompés de clartés blafardes. On voyait çà et là comme de larges draperies qui pendaient sur la tête mutilée des statues. Jamais décor de théâtre exécuté par un pinceau énergique et hardi n'aurait pu produire ces effets sinistres et pleins de mystère.

La porte que dissimulait l'écusson de Treguern et par où le comte était entré avec ses deux compagnons avait une serrure qui datait de Louis XV. En ce temps-là, cette serrure toute neuve était forte ; une fois fermée, il aurait fallu un bélier pour la briser. Mais trois quarts de siècle et l'humidité d'un escalier souterrain suffisent à ronger même l'acier. Au bout de quelques minutes, l'écusson des Treguern bascula de nouveau, et un homme qui portait un long manteau sur un costume de bal d'une élégance irréprochable, s'élança dans la chambre. Il regarda tout autour de lui, puis il remit en place l'écusson.

– Personne ! murmura-t-il après avoir prêté l'oreille ; j'ai toujours le même bonheur ! Dieu ne me punira pas en cette vie !

Il eut un frisson, parce que ses yeux, habitués à l'obscurité, voyaient clair en ce pêle-mêle lugubre.

– Si les morts revenaient, pensa-t-il, n'est-ce pas ici que je reverrais les morts ?

Il tourna l'angle du mausolée et se dirigea vers la porte principale, auprès de laquelle il pouvait apercevoir le pauvre lit de sangle du commandeur Malo qui était vide. Un nuage passa sur la lune, et la chambre s'emplit tout à coup de ténèbres. Le nouveau venu fit quelques pas au hasard ; son pied trébucha deux ou trois fois, et il se sentit perdu au milieu des mille débris qui encombraient le sol. Était-ce une illusion ? Il lui semblait entendre dans la nuit qui l'entourait des respirations contenues...

Il tâtonnait, il cherchait à s'orienter ; ses mains étendues sondaient l'obscurité. Il rencontra l'angle de la table sculptée, puis il poussa un cri, parce que ses doigts venaient de toucher une main froide.

La lune glissa hors du nuage, éclairant à la fois le visage du nouveau venu et le corps de Stéphane ; l'homme était pâle, presque autant que le cadavre, et si l'œil eût été certain de ses impressions dans ces ténèbres, on aurait pu dire que l'homme et le cadavre avaient entre eux je ne sais quelle frappante ressemblance.

Le mort renversait sa tête, toute jeune, dans les boucles d'une chevelure blonde ; c'étaient des cheveux blonds qui couronnaient le front haut et fier de Gabriel de Feuillans. Celui-ci poussa un second cri étouffé et recula d'un pas ; ses genoux chancelaient ; son regard épouvanté fit encore une fois le tour de la chambre.

– Pourquoi ici ? balbutia-t-il, qui donc l'a apporté ici ?

Ses mains se croisèrent et sa tête s'inclina comme celle de l'accusé qui subit à l'improviste l'épreuve de la confrontation.

– Les gens de justice sont dans la ruelle sur le lieu du meurtre, dit-il, ils suivent la trace marquée par les gouttes de sang et cherchent un cadavre. L'assassin n'avait pas eu le temps de cacher le cadavre. Qui donc est venu en aide à l'assassin, cette fois comme toujours ?

Il redressa le front et son œil eut un éclair de défi. On voyait bien que, malgré son audace, cet homme croyait aux choses surnaturelles.

– J'accepte ! prononça-t-il avec lenteur, en étendant sa main dans le vide, comme s'il eût fait un pacte avec ceux qui ne sont point de ce monde. J'accepte votre aide ! Il y a longtemps que j'ai choisi entre la vie et l'éternité !

Un murmure indistinct suivit ces paroles. Gabriel frappa le sol d'un pied assuré, et dit en élevant la voix :

– Montrez-vous donc ! Je vous attends !

Son œil intrépide et calme fouillait les ténèbres. Personne ne se montra ; mais une voix indistincte qui sortait on ne sait d'où prononça ces deux mots :

– Plus tard !

– Plus tard, soit ! répliqua Gabriel qui drapa son manteau sur ses épaules en prenant le chemin de la porte. En attendant, merci et au revoir !

Il traversa la chambre d'un pas rapide, ouvrit la porte et disparut. Le commandeur quitta le premier sa cachette ; il était plus pâle encore que de coutume.

– La prophétie dit, prononça-t-il comme en se parlant à lui-même : « Quand le damné appellera le vengeur, quand la pierre qui manque au tombeau de Tanneguy sera retrouvée, Treguern, trois fois mort, ressuscitera ! » Le damné n'a-t-il point appelé le vengeur ?

Olympe souleva le rideau derrière lequel elle s'était cachée, et se rapprocha du tombeau.

– Avez-vous vu, dit le comte, comme le mort ressemble au vivant ?

– Cela est vrai, répliquèrent à la fois le marchand de diamants et le docteur.

Le commandeur poursuivait :

– La pierre manque encore, et Treguern n'est mort que deux fois.

– Allons ! reprit le docteur, c'est la pelle et la pioche qu'il nous faut à présent. Quand même nous ne serions pas des oiseaux de nuit, à pareille besogne on ne peut pas travailler en plein jour.

– Qui veillera le corps ? demanda le commandeur ; je suis Breton et je suis chrétien. J'ai donné l'hospitalité au mort, il faut qu'il ait une prière avant de descendre dans sa tombe.

Le comte se tourna vers Olympe :

– Valérie, dit-il, voulez-vous prier et veiller ?

Olympe répliqua à voix basse :

– Je veillerai et je prierai.

Ils sortirent. Olympe, entendit leurs pas s'étouffer sur le sable des allées ; elle les vit passer comme des ombres entre les troncs des grands tilleuls, puis se perdre dans les bosquets. Elle vint se mettre à genoux auprès du corps de Stéphane. Elle voulut prier comme elle l'avait promis ; mais les paroles de la prière ne trouvaient plus le chemin de ses lèvres. Les sanglots l'étouffaient.

Elle se releva ; elle mit ses deux coudes sur la table de granit ; ses cheveux inondèrent le front du mort avec ses pleurs.

– Stéphane, dit-elle, ne m'entendez-vous plus ? Je ne connais pas ce maître à qui ma mère m'a ordonné d'obéir. Je n'aimais en ce monde que ma mère et vous... Et la comtesse m'a dit ce matin : – S'il te fallait choisir entre celui que tu veux pour fiancé et moi qui suis ta mère, que ferais-tu ?

Elle se pencha davantage. Elle était belle comme l'ange de douleur.

Elle dit encore :

– Stéphane, j'avais choisi entre vous et ma mère ! Je vous avais averti, malgré ma mère, du danger qui vous menaçait. Pourquoi n'avez-vous pas voulu me croire ?

XII

La fosse creusée

Olympe de Treguern resta ainsi longtemps, immobile et perdue dans le recueillement de sa douleur. Elle ne parlait plus. Le feu de ses yeux avait séché ses larmes. Elle contemplait le pauvre visage pâle de Stéphane, où les mouvements de la lumière mettaient parfois une sorte de vie. Mais ce mensonge ne la trompait plus. Stéphane était mort. Il avait eu vingt ans la veille.

Hélas ! À cet âge, le danger appelle et attire. Stéphane n'avait pas voulu croire quand on lui avait dit : La mort est là ! Il avait fermé l'oreille à la voix de sa fiancée comme à la voix de ses pressentiments.

Vous souvenez-vous ? quelques heures à peine écoulées, comme il était beau, comme il était heureux ! comme il portait haut sa jeunesse souriante et fière ! comme il poussait son fringant cheval pour répondre à l'appel de ce billet que signait le nom de Valérie ! Le nom sous lequel Olympe était connue au pays d'Orlan d'où Stéphane venait.

Maintenant, Valérie l'appelait encore et Valérie appelait en vain.

Là-bas, au pays breton, ce blond Stéphane n'aimait que son frère Tanneguy. On lui dit une fois : « Fanchette Féru n'est pas ta mère. Tu es le fils d'une grande dame qui demeure en la ville de Paris. » Fanchette pleura quand il partit. Tanneguy lui fit la conduite jusqu'à Redon, et ils s'embrassèrent tous deux, le cœur bien gros.

– Nous nous reverrons, dit Stéphane ; la grande ville est le lieu où chacun fait fortune. Quand j'aurai fait fortune, tu viendras me rejoindre.

Le vent les emporte, d'ordinaire, ces paroles d'enfant. Le vent n'emporta point les paroles de Stéphane. Il fit fortune et il se souvint de sa promesse. Nous savons où et comment son frère Tanneguy le retrouva. Tous les deux, Tanneguy en Bretagne, Stéphane à Paris, connaissaient Olympe sous son nom mystérieux de Valérie-la-Morte. Tanneguy l'avait vue mêlée aux choses étranges qui effrayaient les gens de la campagne au pays de Treguern, mais il ne savait point qu'elle était sa sœur.

Stéphane et Olympe s'étaient rencontrés dans les salons de la marquise du Castellat vers l'époque où Laurence de Treguern, « belle et malheureuse », selon l'horoscope tiré par le commandeur Malo, était morte au moment d'épouser Gabriel de Feuillans. Olympe avait un grand secret qui ne lui appartenait point. Stéphane ne connaissait pas ce secret, bien qu'il eût offert sa main avec son cœur et qu'Olympe ne l'eût point repoussé. Seulement, Olympe lui avait dit une fois : « Un danger vous menace. Si vous recevez une lettre signée *Valérie*, pensez à moi et faites ce qui vous sera dit. » Plus tard, Olympe lui dit encore : « Le monde se trompe, je ne serai jamais la femme de Gabriel de Feuillans. »

Au lieu de prier, Olympe songeait à ces jours écoulés. Un bruit qui se faisait entendre au dehors, dans le jardin, non loin du pavillon, l'éveilla en sursaut. C'était le son d'une pioche, attaquant la terre avec précaution.

– Sa fosse ! murmura-t-elle, prise d'une angoisse, ils creusent sa fosse !

Elle se leva toute droite. Le bruit montait lent, régulier, implacable.

Elle se traîna vers la fenêtre et souleva le rideau de serge. Aux rayons de la lune, elle vit le comte et le docteur debout sous le bosquet voisin et appuyés sur leurs pelles. Le commandeur s'adossait contre un arbre et le marchand de diamants creusait le sol avec sa pioche. Elle s'affaissa sur le carreau en balbutiant avec horreur :

– Là ! c'est là que je lui dis, un soir de fête : Je suis votre fiancée...

Le marchand de diamants s'arrêta pour essuyer la sueur de son front. Le comte et le docteur, travaillant à leur tour, se servirent des pelles pour déblayer la fosse commencée. Olympe se couvrit le visage de ses mains, et revint jusqu'à la table où Stéphane était étendu. Elle resta là comme anéantie ; mais elle se redressa au premier coup de pioche qui retentit de nouveau.

– Stéphane ! Stéphane ! s'écria-t-elle affolée, Malo de Treguern n'a pas vu le voile. Vous n'êtes pas mort !

Il y avait un fragment de miroir parmi les débris qui encombraient la table. Olympe s'en saisit et le présenta aux lèvres déjà décolorées du jeune homme. Aucun souffle ne vint ternir la glace polie.

Olympe se jeta à genoux et baisa la terre en priant ardemment. Puis elle fit une seconde fois l'épreuve du miroir et poussa un cri en voyant que la glace se troublait.

Elle doutait du témoignage de ses yeux ; elle n'avait point voulu croire à la mort de Stéphane, elle n'osait point croire à sa résurrection.

Et pourtant, le verre terni parlait, Stéphane avait respiré. Peu d'instant après, il ouvrait les yeux à demi et tâchait de sourire en rencontrant à son réveil le regard de sa fiancée qui était à genoux devant son lit de pierre.

– Valérie ! dit-il, où sommes-nous ? et quel est ce bruit ?

Car on continuait de creuser la terre sous le bosquet. Olympe réchauffait ses mains dans les siennes. Stéphane toucha sa poitrine, et sa mémoire s'éveilla tout entière d'un seul coup.

– Ah ! dit-il, je me souviens, j'ai trouvé ma maison déserte : on avait éloigné mes domestiques. Le nègre de Feuillans était caché dans mon cabinet de travail... puis Feuillans lui-même est arrivé par derrière... Mais est-ce possible ! Gabriel ! Gabriel de Feuillans ! assassin !

Comme Olympe allait répondre, la porte, que les trois inconnus avaient laissée entr'ouverte, tourna doucement sur ses gonds ; un homme parut au seuil. C'était une figure ravagée, mais qui gardait, parmi les traces profondes de la souffrance, un caractère de franchise et de bonté. Sur le front de cet homme une forêt de cheveux noirs, où quelques poils blancs se montraient çà et là, bouclait. Son regard fit rapidement le tour de la chambre. Il eut un mouvement de surprise en apercevant Stéphane demi-couché sur la table du tombeau ; mais, quand ses yeux rencontrèrent ceux d'Olympe, il hocha la tête d'un air satisfait.

Il avança d'un pas, et alors on put voir qu'il n'avait plus de bras à ses larges épaules.

– Viens-tu de la part de M. Privat, mon ami Étienne ? demanda Olympe d'un ton affectueux.

En même temps elle échangeait un coup d'œil avec Stéphane

comme pour lui dire : Nous n'avons rien à craindre de celui-ci. L'homme sans bras que nous avons vu déjà dans la cour des diligences et qui était bien, en effet, la *bête de somme* du petit avocat, se prit à sourire avec mystère. Au lieu de répondre, il traversa la chambre d'un pas délibéré et se dirigea tout droit vers le tombeau de Tanneguy, où Stéphane était couché.

À son cou pendait un objet informe dont Olympe et Stéphane ne purent point d'abord distinguer la nature ; lorsqu'il fut tout près d'eux, ils virent que c'était un fragment de pierre, retenu sur ses épaules à l'aide d'une corde. Arrivé devant le mausolée, il en examina la table avec attention, cherchant l'angle brisé.

– Voici la cassure ! dit-il.

Privé qu'il était de ses deux mains, il fit avec le corps, avec le cou, avec la tête des efforts inutiles pour rapprocher de la table funèbre la pierre qu'il portait pendue sur sa poitrine.

– Veux-tu que je t'aide, Étienne, mon ami ? dit tout bas Olympe.

L'homme sans bras ne répliqua point encore ; il avait enfin réussi à prendre la pierre entre ses dents, il la rapprocha de l'angle brisé. La nécessité lui avait appris à remplacer tant bien que mal les membres qu'il avait perdus ; la pierre fut présentée avec une certaine adresse et, du premier coup, elle s'adapta si parfaitement à la cassure de la table que l'homme sans bras put lâcher prise sans la faire tomber. Elle se tenait ferme en son lieu, et c'est à peine si l'on apercevait une fente légère entre les deux granits évidemment homogènes.

L'homme sans bras se redressa : sa large poitrine s'emplit d'air, et au fier sourire qui éclaira soudain son visage on eût pu deviner qu'au temps où la main de Dieu ne s'était point encore appesantie sur lui, ç'avait été un homme beau et vaillant. Il jeta un regard de mépris sur les fragments de pierre amoncelés autour de lui, et sur les trois caisses apportées récemment par le commandeur.

– Je n'ai qu'une pierre, moi, dit-il en montrant sa joie d'enfant, mais c'est la bonne !

Il ajouta en la reprenant :

– C'est moi qui accomplirai la prophétie ! Pourvu qu'elle tombe de haut, la pierre est assez lourde pour écraser le malheur de Treguern !

Il regagna la porte comme s'il fût venu là seulement pour confronter avec la table du mausolée son morceau de granit. En passant de nouveau devant la jeune fille, son regard s'imprégna de caressantes tendresses.

– C'est un bon jour ! murmura-t-il ; j'ai vu le père, le fils et la fille !

Ce qu'il ajouta fut pensé tout haut plutôt que parlé :

– Les cheveux de Filhol ont blanchi, disait-il, mais que l'enfant est beau, et comme il ressemble aux portraits des chevaliers qui étaient dans la grand'salle du manoir !

– Qui est donc cet homme ? demanda Stéphane, dès que le mutilé eut repassé le seuil.

Olympe mit un doigt sur sa bouche ; on entendait des pas sur le sable de l'allée des tilleuls.

– Les voilà qui reviennent, murmura-t-elle.

– Qui ? demanda encore Stéphane.

– Le temps approche où vous saurez tout, répondit Olympe ; celui dont je dois être la femme n'a rien à ignorer de ce qui me touche, et je ne veux pas qu'il y ait entre vous et moi, l'ombre même d'un mystère. Mais il faudrait de longues heures et nous n'avons pas une minute. Gardez votre ignorance encore cette nuit, et laissez-vous guider par moi comme si j'étais votre mère.

– Commandez, dit le jeune homme en souriant, vous verrez si je suis un fils docile.

– Êtes-vous assez fort pour vous lever ? demanda Olympe.

Stéphane essaya ; sa blessure lui arracha une plainte, mais il parvint à se mettre sur ses pieds. Au même instant, on entendit au dehors une voix qui disait :

– La fosse est creusée, hâtons-nous, car le jour va paraître.

Le marchand de diamants et le docteur parurent sur le seuil. Ils reculèrent tous les deux à la vue de celui qu'ils avaient laissé sans vie, étendu sur la table, et qu'ils trouvaient debout au milieu de la chambre.

– Qu'y a-t-il ? demanda le comte, qui venait le troisième.

Le marchand de diamants et le docteur se rangèrent à droite et à gauche pour le laisser regarder ou passer, selon sa fantaisie. Le comte regarda et à son tour s'arrêta. Ses sourcils, qui semblaient plus noirs sous la neige de ses cheveux, se froncèrent avec violence. Pendant que les trois compagnons hésitaient et semblaient se consulter, Olympe s'avança vers eux tenant Stéphane par la main.

– Comme vous l'avez fait autrefois, prononça-t-elle d'une voix ferme et lente, celui-ci a trompé aujourd'hui l'arme de l'assassin. S'il obéit aux mêmes lois que vous, il aura les mêmes droits que vous. C'est le pacte.

– C'est le pacte, répéta le comte.

Et les deux autres dirent après lui avec une sorte de regret :

– C'est le pacte !

Stéphane restait immobile et silencieux : il ne comprenait rien à ce qui se passait, et ne faisait qu'accomplir son vœu d'obéissance. Le commandeur écarta ceux qui barraient la porte ; il entra et vint mettre ses deux mains sur les épaules de Stéphane.

– Je vous avais bien dit que la fosse resterait vide, murmura-t-il sans se retourner vers ceux qui suivaient. Treguern n'a rien perdu de son pouvoir, et la mort lui doit toujours compte de ses secrets !

– Ce jeune homme est-il prêt à faire le serment ? demanda le comte.

Olympe serra le bras de Stéphane, qui répondit :

– Je suis prêt.

– Moitié Le Brec, moitié Treguern ! murmura le commandeur, qui le considérait toujours attentivement.

Les trois compagnons franchirent le seuil et s'avancèrent, mais Malo se mit au-devant d'eux.

– Toi, dit-il en élevant la voix et le regard cloué sur Stéphane, je te défends de faire le serment. Le Brec t'a frappé, Treguern t'a sauvé, mais l'enfant n'a pas le droit de juger son père !

XIII

La cloche de quatre heures

Trois heures du matin venaient de sonner à l'église Saint-Eustache. À ce moment, où Paris tout entier sommeille encore, il y a déjà grand mouvement et grand bruit autour des halles. Du marché des Prouvaires à la fontaine des Innocents, une population campagnarde, que le citadin paresseux ne connaît pas, grouille et s'agite ; c'est la bourse des poissonniers, des maraîchers, de tous ces négociants aux souliers ferrés, aux mains calleuses, toujours armés du fouet, qui se chargent d'assouvir la gourmandise parisienne. Autour de la fontaine, les pavés disparaissaient sous les grands paniers de fruits qui couvraient le sol jusqu'au trottoir de la rue aux Fers.

Les campagnards étaient là, gardant leur marchandise, immobiles, calmes, et laissant s'agiter la foule des acheteurs.

Si vous avez vu, aux courses de Longchamp, les chevaux engagés piaffer et blanchir le mors, impatients du signal qui se fait attendre, vous aurez une idée de ce qui se passe parmi les regrattiers victimes des rigueurs du règlement, souffrant le supplice de Tantale, et placés là au milieu de tant de fruits, de si beaux melons et de légumes si frais sans pouvoir tendre la main pour les saisir.

Personne ne peut devancer l'heure marquée ; il faut que le premier son de la cloche municipale ait tinté pour que les achats commencent. Auparavant, on peut crier, marchander, se disputer, mais on ne peut pas faire la *main mise*, comme disaient les Romains, et placer sa marque sur le panier convoité.

Aussi, dès que la cloche sonne, quelle fête et quelle bataille ! La chaîne morale est rompue, le flot s'élance, la marée monte, envahissant le rivage défendu naguère ; on se rue, on se bouscule, on se gourme ; de longs cordons sont passés autour des paniers avec une vélocité prodigieuse, et ces cordons veulent dire : « N'y touchez pas ! »

Le cordon est chose sacrée ; c'est comme le frêle scellé que la justice pose sur le coffre-fort du défunt et qui vaut mieux que toutes les serrures du monde.

Le campagnard, impassible au milieu de cette fièvre, fume tranquillement sa pipe et regarde toujours. Peu lui importe la couleur des cordons ; il sera payé comptant et il a dit son prix d'avance ; l'argent de celui-ci vaut l'argent de celui-là.

Au bout d'une minute, la tempête s'apaise, tous les paniers sont marqués et il ne reste plus qu'à verser dans la bourse de cuir du *Normand* le prix des belles pêches veloutées, des raisins vermeils ou des poires odorantes.

Normand est le nom générique des rustiques courtiers qui centralisent l'achat dans les campagnes et qui viennent traiter sur le marché de Paris.

Mais ce n'est rien que l'espace qui entoure la fontaine des Innocents. Paris jeûnerait lamentablement s'il n'avait que ces bagatelles à mettre sous sa dent. Les rues voisines sont encombrées et pendant que les voitures attendent le long des quais, sur les ponts et jusque sur la place du Châtelet, de véritables montagnes de légumes s'entassent sur les trottoirs, de Saint-Eustache au Pont-Neuf, du Pont-Neuf à la rue Saint-Denis. À l'abri de ces collines de choux, de poireaux et de laitues, des femmes sauvages sont couchées nonchalamment dans la poussière, s'il fait beau ; dans la boue, si le temps est à la pluie. On dort là comme ailleurs. Si l'on préfère causer, il faut de l'eau-de-vie et l'eau-de-vie ne manque pas dans ces parages où Paul Niquet, comme un vieux fleuve, épanche nuit et jour son urne intarissable.

C'était dans la rue de la Ferronnerie, non loin de cette voûte monumentale qui donne entrée sur le marché, en face de la fontaine. À cent pas à la ronde on ne dormait point ; les gardiennes des diverses montagnes de légumes qui prolongeaient leur chaîne le long du trottoir s'étaient formées en conciliabule et causaient au-devant de la voûte. Les acheteurs qui commencent à venir en foule, passé trois heures sonnées, étaient là, et faisaient leur choix ; mais ils trouvaient difficilement à qui parler, parce que le club des villageoises agitait un sujet du plus saisissant intérêt. Si bien qu'acheteurs et acheteuses, après avoir tenté vainement d'entamer leur marché, s'approchaient du groupe à leur tour et se prenaient à écouter.

Il s'agissait d'un meurtre commis, cette nuit-là même, au milieu de circonstances très extraordinaires. Et que n'oublierait-on pas pour parler d'un meurtre !

– Tout jeune, je vous dis, tout jeune ! s'écriait une bonne femme dont la figure rougeaude disparaissait sous son ample marmotte, et beau comme un chérubin !

– Vous l'avez donc vu, madame Michel ? demanda-t-on de toutes parts.

– Je n'ai pas eu cette chance, répliqua la bonne femme avec amertume, je suis arrivée un quart d'heure trop tard ; mais le *Normand* de chez nous l'a vu et dit que c'était un gentil brin de garçon avec des yeux bleus comme l'amour !

– Mais que lui avait-il donc fait, à l'autre ? demanda une voix dans la foule ; était-ce pour une batterie ?

– On ne sait pas, repartit Mme Michel, et je ne peux vous dire que ce qui m'a été dit. C'est derrière l'Allée des Veuves : il y a la maison d'une marquise qui est là comme qui dirait le tas de Mme Mathieu vis-à-vis, figurez-vous une autre maison plus petite, qui serait à la place du tas de Mme Richard. Entre les deux maisons, comme ici où nous sommes, on les a trouvés tous les deux couchés l'un sur l'autre... et le plus étonnant, c'est que trois particuliers sont venus prendre le cadavre, sous prétexte de lui donner des secours, et l'ont escamoté comme une muscade !

– Ça ne se cache pas sous une motte d'herbe, un corps, fit observer Mme Richard avec incrédulité.

– Voilà ! moi je vous dis ce qui m'a été dit. Et Dieu sait qu'il y a du monde depuis l'Allée des Veuves jusqu'aux Invalides, pour parler de cette affaire-là !

– Est-ce qu'on n'a pas fouillé les maisons ? fut-il demandé.

– On a fouillé la maison de droite, qui appartenait au jeune défunt. Et devinez ce qu'on a trouvé ?

Mme Michel fit une pause ; toutes les oreilles s'ouvrirent.

– On a trouvé au fond d'une cave, reprit-elle, un grand vilain nègre qui était ivre-mort.

Il y eut un murmure dans le groupe ; le nègre faisait de l'effet.

– Mais j'en oublie, dit encore Mme Michel, parce que tout ne me revient pas à la fois. Il avait des domestiques, vous sentez, ce jeune homme. Eh bien ! les juges ont trouvé la maison toute seule ; pas une âme ! Et quand les domestiques sont revenus, après minuit, ils ont dit qu'on les avait envoyés, l'un ici, l'autre là, de la part de leur maître. Qui ça ? Probablement l'autre jeune homme, celui qui s'est échappé du corps de garde.

– Il s'est donc échappé, le scélérat ! s'écrièrent ceux et celles qui n'avaient pas entendu le commencement de l'histoire.

Mme Michel les regarda de travers.

– Puisque je vous dis, répliqua-t-elle, qu'il était déjà évadé quand j'ai passé avec ma voiture devant le corps de garde de l'Esplanade ! Les soldats couraient partout le chercher. Et le monde qui était là ne se gênait pas pour dire qu'on avait eu tort de le mettre tout seul dans la chambre de derrière, qui n'a qu'une méchante grille et qui donne sur l'Esplanade...

– Oh ! oh ! fit une basse-taille sous la voûte, on parle du blanc-bec qui a fait le mauvais coup ?

– Monsieur Monnerot ! monsieur Monnerot ! s'écria l'assemblée en chœur.

M. Monnerot était le *Normand de chez nous*, cité par Mme Michel. Il s'avança, le bonnet à mentonnière sur les oreilles, la pipe à la bouche et les mains sous la blouse ; le cercle s'ouvrit pour le laisser passer.

– Pas vrai, monsieur Monnerot, que vous l'avez vu ? dit Mme Michel.

– Comme je vous vois : pas plus gêné, répondit le Normand. Ma voiture passait devant le pont des Invalides au moment où les soldats l'amenaient des Champs-Élysées. Quant à être un joli sujet, c'est un joli sujet !

– Il y en a tant comme cela, des physionomies trompeuses ! firent observer Mme Mathieu, propriétaire du tas de droite, et Mme Richard, propriétaire du tas de gauche.

– Ça a fait un embarras tout de suite le long du quai, reprit M. Monnerot, et nous avons eu le temps d'apprendre les tenants et les aboutissants. Quand le blanc-bec a été dans le corps de garde, il est venu un petit garçon de quinze à seize ans approchant, qui voulait le voir et qui disait : « Je suis son frère. » J'ai l'œil fin, moi, sans que ça paraisse, et je me suis douté tout de suite que c'était une donzelle déguisée.

– Et on l'a laissé entrer ? s'écria la foule dont la curiosité se réveillait plus vive.

À chaque instant le groupe allait grossissant ; il occupait déjà presque toute la largeur de la rue.

– La chose regarde le chef du poste, dit M. Monnerot, et il sera puni, s'il a fauté. Tant il y a que pas dix minutes après l'entrée du soi-disant gamin, on a crié à l'intérieur du corps de garde et que tous les pousse-cailloux sont sortis avec leurs fusils comme s'ils voulaient ravager le quartier ! Mais bast ! la nuit était noire : on a eu beau battre l'Esplanade, l'oiseau était envolé !

– Et le gamin qui était une donzelle ?

– Cherche ! pas plus de gamin que sur le bout de mon nez ! Après un peu de temps, on a fait remarcher les voitures, et j'ai laissé les badauds bavarder devant la porte du corps de garde.

– Alors, vous ne savez pas ce qui s'en est suivi, monsieur Monnerot ? demanda Mme Michel d'un ton insinuant.

– Je pense bien qu'il ne s'en est rien suivi, repartit le Normand.

Mme Michel, recouvrant aussitôt son importance, lui tourna le dos et s'adressa directement au public :

– Eh bien ! dit-elle, c'est peut-être le plus étonnant, voyez-vous ! Quand notre voiture est passée, à son tour, devant le corps de garde, les soldats étaient là tout ébahis. Il faut que cet assassin, puisque assassin il y a, soit un jeune homme de grande famille...

Le Normand haussa les épaules.

– Chapeau de paille, grommela-t-il, jaquette de gros velours et pantalon de toile !

– La toilette n'y fait rien, dit la bonne femme, on peut se déguiser. Ce n'est pas un jeune homme du commun qui aurait été réclamé comme ça par une marquise, par une comtesse et par un comte !

Il y eut presque tumulte à ce coup.

– Quelle marquise ? demanda-t-on.

– Quelle comtesse ?

– Quel comte ?

Mme Michel prit une attitude digne et mit ses grosses mains sous son tablier.

– Je ne peux vous dire que ce qui m'a été dit, mes enfants, répliqua-t-elle, et qui est-ce qui disait cela ? les soldats du poste eux-mêmes. Quant à savoir le nom de cette marquise, le nom de cette comtesse et le nom de ce comte, vous m'en demandez trop long. Ce qu'il y a de sûr, c'est que je lirai demain le *Journal du Commerce* pour voir les détails de tout cela.

Il arriva ce qui a toujours lieu en pareil cas : le groupe se subdivisa en une quantité de petits clubs où l'histoire brodée de mille façons diverses fut reproduite pour l'édification des tard-venus. M. Monnerot, resté seul avec quelques fidèles, affirmait que si le blanc-bec se trouvait jamais sur son passage, il le reconnaîtrait certainement et lui mettrait la main au collet sans cérémonie.

On entendait cependant, vers la rue Saint-Honoré, la marche lourde d'un fiacre qui s'avançait comme il pouvait au milieu des obstacles accumulés sur sa route. Les bonnes femmes commises à la garde des tas de légumes se regardent comme chez elles dans la rue de la Ferronnerie. Elles trouvent mauvais que les gens du quartier regagnent leur domicile en voiture.

– En effet, disent-elles, une douzaine de choux est bien vite écrasée !

Au bruit du fiacre, les groupes commencèrent à se débander et chaque sentinelle alla veiller à la base de son tas. La voiture, fourvoyée au milieu de cette immense boutique de verdure, récoltait une honnête moisson d'invectives sur son passage. Le cocher, qui connaissait peut-être, par expérience, les mœurs un peu sauvages de ces latitudes, faisait la sourde oreille et suivait patiemment son chemin.

Comme il arrivait vis-à-vis de la fontaine, le réverbère placé sous la voûte jeta ses rayons à l'intérieur du fiacre ; une petite figure pâlotte et sculptée en casse-noisette fut éclairée tout à coup ; puis la lueur tomba sur une autre figure. M. Monnerot poussa un cri d'étonnement ; il étendit le bras vers le fiacre, et les commères qui l'entouraient purent voir un beau jeune homme coiffé d'un chapeau de paille et vêtu d'une jaquette de velours.

– Arrêtez le fiacre, commanda M. Monnerot d'une voix tonnante.

La figure en casse-noisette sortit à moitié par la portière et dit :

– Au galop !

Le cocher fouetta ses chevaux, et en même temps les deux stores se fermèrent. La foule, cependant, s'était mise en mouvement ; M. Monnerot, qui avait l'air d'un déterminé, s'élança sur les traces du fiacre en criant :

– C'est lui ! je jurerais que c'est lui !

Le fiacre s'engageait au trot de ses deux rosses efflanquées dans la rue de l'Aiguillerie. Le résultat de la poursuite ne pouvait être un instant douteux, car la foule gagnait déjà du terrain, et le cocher n'aurait pas pu presser davantage l'allure de ses bêtes, quand il se fût agi de conquérir une fortune. Monnerot disait déjà dans son triomphe facile :

– Il est à nous ! Nous le tenons !

Mais en ce moment le son de la cloche de quatre heures jeta son appel magique. Ce fut comme un coup de baguette. Monnerot s'arrêta un pied en l'air et fit volte-face avec impétuosité ; paysans et marchands l'imitèrent ; le fiacre n'existait plus, on ne songeait qu'aux paniers abandonnés et aux tas de légumes livrés sans défense au pillage. Monnerot fut culbuté deux fois dans cette frénétique déroute et il y en eut de bien plus maltraités que lui.

Au premier tintement de la cloche, le cocher, qui savait son affaire, remit ses rosses au petit trot ; il tourna paisiblement l'angle de la rue Saint-Denis et vint s'arrêter au milieu même du marché, devant cette maison à six étages qui porte un pigeonnier à son sommet.

C'était au plus fort de la tempête commerciale. On vendait, on achetait avec fureur, à coups de poings et au comptant. La halle présentait l'aspect d'une furibonde mêlée. Tous les meurtriers de l'univers auraient pu passer en ce moment sans qu'on prît garde à eux.

La portière du fiacre s'ouvrit ; la figure en casse-noisette descendit avec précaution et tira la sonnette de la maison à six étages. Après lui vint ce beau jeune homme coiffé d'un chapeau de paille et vêtu d'une jaquette en gros velours.

– Entrez, mon camarade de voyage, lui dit M. Privat après avoir payé le cocher ; ce que je vous avais annoncé est arrivé de point en point ; nous nous sommes revus plus tôt que vous ne pensiez, vous n'avez pas trouvé ce que vous cherchiez, vous avez trouvé ce que vous ne cherchiez pas. À Paris plus qu'ailleurs la vie est une loterie : qui sait si maintenant vous n'avez pas le bon billet dans votre poche ?

Il ferma la porte sur Tanneguy anéanti de surprise, pendant que le fiacre vide descendait vers les quais.

XIV

L'homme sans bras

Tout en haut de la maison à six étages qui faisait face à la fontaine des Innocents, dans la rue Saint-Denis, il y avait un petit logement d'aspect étroit et mesquin, pauvrement meublé, composé d'une cuisine et de trois pièces. La cuisine était séparée du reste par un corridor ; elle avait au milieu de son plafond une croisée en tabatière qui donnait accès dans ce fameux pigeonnier dont M. Privat nous a parlé avec tant de complaisance.

Un lit de fer s'enclavait entre la saillie des fourneaux et la muraille ; pour toute batterie de cuisine, il y avait deux ou trois casseroles en terre. Vis-à-vis du lit, une table boitait sur ses pieds inégaux.

Sur la table, se trouvait la pierre que l'homme sans bras portait à son cou, cette nuit, quand il était entré dans la retraite du commandeur Malo.

Il était là, l'homme sans bras, vêtu seulement d'une chemise qui recouvrait ses épaules mutilées. Il s'asseyait par terre, sur une botte de paille, au-devant de la table, et se livrait avec ardeur au travail. Quel travail était possible pour ce pauvre malheureux ? Il y avait vingt ans que le sergent Étienne, privé de son bras droit, avait laissé son bras gauche au Trou-de-la-Dette. C'était, en ce temps-là, un fier jeune homme, vaillant et généreux comme un lion. Qu'était-il devenu depuis lors ? Où avait-il traîné sa décadence et sa misère ?

Étienne n'aurait peut-être pas su vous le dire lui-même. La chandelle qui brûlait sur la table frappait d'aplomb ses tempes ravagées et son front où la pensée semblait morte, parfois.

Il est vrai que d'autres fois un vif éclair d'intelligence s'allumait tout à coup dans ses yeux. D'autres fois encore sa tête se penchait, lourde et triste, sur sa poitrine, quand son regard venait à rencontrer certains objets pendus à la muraille, au-dessus de son lit. C'était un sabre recourbé, des épaulettes de laine et un frac militaire aux manches duquel brillaient les galons de sergent. Pauvre trophée qui lui parlait de sa jeunesse ! cher souvenir qui lui brisait le cœur et dont il n'avait pas le courage de se séparer !

Il est des vies faites ainsi, de longs martyres qui sont la preuve irréfragable d'une existence autre et meilleure. Depuis le jour où Étienne avait perdu son second bras, il ne se souvenait point d'avoir éprouvé une seule joie. Nous savons son histoire jusqu'au double baptême du lendemain de l'Assomption. Après le baptême, on l'avait mis en prison ; les chirurgiens lui avaient donné l'espoir que l'amputation de son bras gauche le ferait mourir ; il avait survécu à l'amputation. Au bout d'une année, les portes de sa prison s'étaient ouvertes et on l'avait jeté, impotent qu'il était de corps et d'esprit, sur le pavé de la ville de Vannes. Ne craignez pas que la biographie se prolonge, nous ne savons plus qu'un détail : Étienne était devenu la *bête de somme* du petit avocat breton qui l'avait défendu en justice et sauvé. Et c'était charité pure de la part de M. Privat, car Étienne était le plus inutile des domestiques.

À quel travail mystérieux se livrait-il donc cette nuit, lui que son maître était obligé de servir tous les jours ? Il avait une corde aux dents, terminée par un nœud coulant. Avec sa tête, avec ses épaules, comme il pouvait, enfin, il faisait entrer sa pierre dans le nœud coulant, puis il donnait une secousse, et la pierre tombait : la pierre qui s'adaptait à l'angle cassé du tombeau de Tanneguy.

Dix fois, vingt fois peut-être, il recommença l'épreuve, puis il se leva et s'en alla étancher la sueur de son front contre les draps de son lit.

– Elle tombera de haut ! murmura-t-il en regardant sa pierre d'un œil caressant et satisfait ; c'est la bonne ! et la prophétie ne peut pas mentir !

Comme il revenait vers la table pour essayer une dernière fois le mouvement, il entendit le bruit de la sonnette de la rue. Sa physionomie changea ; il cacha vivement la corde ainsi que la pierre, et courut se jeter sur son grabat, après avoir éteint sa lumière. Presque au même instant, on frappa à la porte du carré. Étienne passa son orteil dans un anneau qui était au pied de son lit et tira un cordon. La porte s'ouvrit.

– Ne te dérange pas, dit la voix de M. Privat dans le corridor, j'ai ce qu'il me faut : reste tranquille.

Étienne entendit que le petit avocat poussait un verrou en dehors de sa porte ; il prêta l'oreille plus avidement.

– Qui donc est avec lui ? murmura-t-il.

D'ordinaire, M. Privat n'avait point l'habitude d'amener ainsi des étrangers en son logis. Étienne sortit de son lit et se glissa jusqu'à la porte ; mais M. Privat n'était déjà plus dans le corridor. Il avait fait entrer notre ami Tanneguy dans une chambre assez grande, toute pleine de paperasses poudreuses et sentant énergiquement le renfermé. Entre deux corps de bibliothèque en sapin, il y avait un assez bon lit, vers lequel M. Privat se dirigea tout de suite.

– Mon compagnon de voyage, dit-il gaîment, demain, quand il fera jour, je vous montrerai mes pigeons et les autres beautés de ma demeure. Nous avons une vue magnifique et un air excellent, sans cesse purifié par les légumes frais que nous envoient les provinces tributaires. En ce moment, le plus pressé pour vous est de faire un somme. Sans compliment, je n'ai jamais vu un brave garçon avoir l'air aussi parfaitement hébété que vous !

Tanneguy le regardait d'un œil stupéfié, comme s'il eût pris à tâche de sanctionner son observation.

– Aidez-moi, reprit M. Privat, qui ne put s'empêcher de rire.

Il enleva, non sans précaution, car c'était un petit homme rempli d'ordre, la couverture de son lit avec les draps ; puis il saisit le matelas supérieur par un bout, et fit signe à Tanneguy de prendre l'autre. Tanneguy obéit. M. Privat sortit de la chambre, traversa le corridor et poussa la porte d'une petite pièce toute nue, sur le plancher de laquelle il étendit le matelas. Cette pièce était située juste en face de la porte vitrée de la cuisine.

– Couchez-vous là-dessus tout habillé, mon compagnon de voyage, dit M. Privat ; à vingt ans, on n'a pas besoin d'un lit de plumes. Je vous souhaite bon sommeil et je m'en vais à mes affaires.

– Monsieur ! monsieur ! s'écria Tanneguy, recouvrant à ce moment un peu de présence d'esprit. Je vous en supplie, dites-moi...

– Pas un traître mot ! interrompit le petit homme ; j'ai déjà perdu trop de temps avec vous : votre serviteur de tout mon cœur !

Il repassa le seuil prestement et ferma la porte sur Tanneguy. Celui-ci restait seul dans une obscurité profonde ; il pressa son front à deux mains, car, en ce premier moment d'abandon, il se sentait devenir fou.

Depuis l'instant où il s'était éveillé au milieu de cette foule curieuse et hostile, à l'endroit même où il avait vu le corps inanimé de son frère Stéphane, des aventures inopinées s'étaient succédé pour lui avec une rapidité si étrange, qu'il était resté dans une sorte d'ivresse. Cette rampe illuminée du jardin de la marquise, les accords de cette musique joyeuse, ces femmes parées magnifiquement, et parmi elles cette belle jeune fille d'Orlan : Valérie-la-Morte, – le commandeur Malo, M. de Feuillans, le maître du Château-sans-Terre, – puis ces soldats qui étaient venus tout à coup et qui l'avaient saisi, les regards insultants du peuple assemblé sur la route – la nuit du corps de garde – un jeune garçon pénétrant à l'improviste dans la prison et le sauvant, comme s'il eût possédé la baguette des fées, – une course rapide sous de grands arbres en compagnie de ce jeune garçon qui semblait une fille déguisée et qui lui parlait d'une voix déjà connue avec l'accent du pays – un fiacre arrêté derrière un grand édifice, surmonté d'un dôme et dans lequel M. Privat l'attendait – tout cela tourbillonnait dans sa tête, et se mêlait comme un écheveau de fil.

– Dépêchez-vous ! avait dit M. Privat de sa voix grêle, en ouvrant la portière du fiacre.

Le petit garçon avait ôté sa casquette, montrant les mèches bouclées de ses grands cheveux. Tanneguy n'avait-il point reconnu la figure éveillée de la petite Vevette, dont la vieille mère demeurait au bourg d'Orlan, au bout du verger du presbytère ? Il n'y avait, pour toute lumière, que les lanternes fumeuses du fiacre. On pouvait bien se tromper.

– Que faut-il dire à mademoiselle ? avait dit le jeune garçon ou la jeune fille, en quittant M. Privat.

– Qu'elle prévienne madame la comtesse, avait répondu Privat ; j'emmène ce gaillard-là dans le domicile de mes pigeons.

Le fiacre s'était mis en marche, et depuis les Invalides jusqu'aux halles, M. Privat n'avait pas desserré les dents. Maintenant Tanneguy se sentait comme en prison dans cette chambre fermée dont l'air épais oppressait sa poitrine ; il eût voulu se mouvoir, il eût voulu courir ; mais au premier pas qu'il fit au milieu de cette obscurité profonde, il s'arrêta découragé.

Il se laissa choir sur le matelas ; la pensée de son frère Stéphane lui revint et ses yeux s'emplirent de larmes. La radieuse vision qui l'avait attiré hors de son village ne pouvait manquer de lui apparaître à cette heure de fièvre ; elle vint, en effet, mais ce fut comme un de ces feux diamantés scintillant à la voûte du ciel, qui brillent dans la nuit sans l'éclairer et dont l'éclat rend, par le contraste, les ténèbres plus sombres.

Le cœur de Tanneguy se serra davantage ; l'idée de Valérie était liée en lui désormais à je ne sais quelle fatale horreur. Ne l'avait-il pas vue, blanche et froide, parmi ces femmes qui regardaient le lieu où Stéphane était baigné dans le sang ?...

Ses yeux alourdis par la fatigue se fermèrent. Il n'avait que vingt ans, et, à cet âge, toute douleur a le privilège de se réfugier dans le sommeil. Au moment où ses membres s'engourdissaient déjà, où sa pensée vacillait avant de s'éteindre, ce ne fut point l'image de Valérie qui vint planer au-dessus de son front. Il vit le pâtis de Treguern, avec ses vieux saules chevelus et son gazon ras, jonché de camomilles naines. Au revers d'un fossé, une jeune fille était assise : une figure d'enfant sous la coiffe blanche des paysannes morbihannaises, une figure d'ange plutôt, avec de grands yeux tristes et doux qui semblaient parler à Dieu.

Tanneguy, en fermant ses paupières, prononça le nom de Marcelle, la compagne de son enfance ; il la voyait effeuiller une marguerite et l'entendait demander à la fleur des prairies :

– Se souvient-il de moi ? Un peu ? beaucoup ? passablement ? Pas du tout ?...

XV

Les paperasses de M. Privat

Voilà un homme qui ne rêvait point de marguerites, M. Privat ! et pour qui personne ne consultait l'oracle mignon de la fleur des champs ! Vive Dieu ! de la sciure de buis sur de l'encre fraîche, de la vieille encre sur du papier jauni, ce sont là de jolies choses et qui sentent aussi bon que les pâquerettes !

Il était dans son cabinet. Par économie encore plus que par besoin de se mettre à l'aise, il avait dépouillé son beau costume de bal : une robe de chambre grisâtre, qui le servait fidèlement depuis les jours de sa jeunesse, grimaçait sur son torse maigre, et la casquette pointue avait repris son poste au sommet de son crâne.

Il était assis devant sa grande table, sous l'abat-jour même de sa lampe ; autour de lui les paperasses s'amoncelaient comme naguère s'entassaient les choux et les laitues sur les trottoirs des rues voisines. Il était là dans son centre ; ses regards clignotants caressaient ce fouillis de gribouillages poudreux ; il allait de l'un à l'autre plus content que l'avare baignant ses mains dans l'or de sa cave emplie.

– Il y aurait eu un moyen, dit-il en remontant ses lunettes jusque sur son front pour essuyer ses paupières fatiguées ; si on avait laissé mon camarade Tanneguy entre les mains de la justice, il aurait bien fallu, cette fois, que la lumière se fît. Et, à tout prendre, je ne suis pas l'esclave de cette enchanteresse, et je ne crois pas aux fantômes. Si la belle Olympe ne me dit pas ce que je veux savoir, il est encore temps de revenir sur nos pas, tant pis pour mon compagnon de voyage !

Il prit sur la table un registre de taille imposante, fatigué, sali, luisant, et se mit à le feuilleter vivement.

– Mes notes de vingt années ! murmura-t-il ; que de tâtonnements ! que d'hypothèses folles ! Mais j'ai suivi le fil, et je suis bien près maintenant de la porte du labyrinthe !

Il trempa sa plume dans l'encre et sur la dernière page à demi remplie, il écrivit une douzaine de lignes ; sans doute le résumé de ce qu'il avait appris dans la journée. Puis il repoussa le registre, allongea ses jambes sous la tablette et mit ses deux mains en croix.

– Récapitulons, se dit-il : vers la fin du siècle dernier, une compagnie anglaise, qui devait avoir de nombreux imitateurs, se forma pour exploiter à la fois deux sentiments vivaces en nous : la tendresse du père de famille et de l'égoïsme ambitieux ; cette compagnie, qui prit le nom du *Campbell-Life, general assurances, annuities on survivos-hip*, en l'honneur de son fondateur, offrit aux uns la combinaison des assurances en cas de mort, aux autres les chances entraînantes de la tontine. Aux premiers elle dit : Si vous mourez, je donnerai du pain à vos enfants. Aux autres elle cria : Vivez seulement, et je vous ferai riches ! Un jeune garçon, qui étudiait pour être d'église et qui se nommait Gabriel, apporta au pauvre bourg d'Orlan un journal anglais qui contenait l'annonce pompeuse de cette nouvelle entreprise ; ce jeune homme se fit l'ami du dernier Treguern ; le dernier Treguern se rendit à Londres un beau jour afin de s'assurer en cas de mort pour une somme de cent mille francs. Pendant ce voyage, le *cloarec* Gabriel se mit en rapport avec un agent international et souscrivit à la tontine pour vingt annuités de cent mille francs chacune ! Rien que cela !

Ici M. Privat s'interrompit et enfla ses joues.

– Il était à peine majeur, ce Gabriel, grommela-t-il, quand il eut cette idée-là ! Forte tête de coquin !

« Gabriel, reprit-il, poursuivant son résumé à l'aide de ses notes tour à tour consultées, n'avait pas un sou vaillant, et sa première annuité était payable au 16 août de l'année 1800. Filhol de Treguern revint au pays et fit une chose qui peut paraître invraisemblable à notre époque de tranquillité, mais qui réellement n'était que hardie au milieu du trouble que subirent si longtemps nos provinces de l'ouest après la chute de la royauté. Grâce à Gabriel, qui demeurait au presbytère d'Orlan, et qui put l'aider de plus d'une manière, Filhol feignit une maladie mortelle au mois de septembre 1799. Gabriel constata son décès sur les registres de la paroisse, et Filhol, légalement décédé, se cacha dans les environs du manoir de Treguern, pour attendre que la compagnie anglaise soldât son assurance en cas de mort.

« Cela fut long, parce que la guerre rendait très difficiles les relations entre les deux pays. Enfin, sur les instances réitérées de Gabriel, exécuteur testamentaire du comte Filhol, un agent du

Campbell-Life risqua le passage de la Manche et arriva en la ville de Redon, le 15 août 1800.

« Il y avait dix mois passés qu'on avait mis en terre le cercueil vide contenant, suivant la croyance commune, les restes du dernier Treguern ; pendant ce temps-là, Geneviève Lehir, épouse du comte Filhol, avait été le visiter dans sa retraite ; elle était devenue mère et en cette même nuit, du 15 au 16 août, elle mit au monde un enfant du sexe masculin.

« Tout cela est clair comme le jour ! interrompit encore M. Privat ; Gabriel assassina Filhol de Treguern pour avoir les cent mille francs de l'Anglais et payer sa première annuité. Il y eut ensuite le double baptême et l'échange des enfants, comme si ce Gabriel eût voulu dérober jusqu'aux chances de l'avenir à cette race de Treguern qu'il avait dépouillée dans le présent et dans le passé. Le procès d'Étienne, accusé de meurtre, me mit sur la voie de ces infamies, et depuis lors, je suis pas à pas la marche de l'ancien *cloarec* Gabriel. Filhol était l'ami de Gabriel ; il mourut de mort violente ; Jérôme Clément, le médecin de Laval, était l'ami de Gabriel, il eut le même sort que Filhol. Johann-Maria Worms, le marchand de diamants de Cologne, était encore l'ami de Gabriel, le marquis du Castellat aussi. Laurence de Treguern était la fiancée de Gabriel... tous riches, tous morts à la même date funeste !

« Et Gabriel, qui n'avait point de ressources connues, payait toujours avec exactitude cette lourde annuité de cent mille francs !

« Un enfant déduirait la conséquence de cela. Mais il y a autre chose qui dépasse non seulement l'intelligence d'un enfant, mais qui va au delà des limites de la raison humaine : Ces morts vivent ! ou du moins plusieurs d'entre eux. Pourquoi n'ont-ils pas revendiqué leurs droits ? Et si ce sont des fantômes, car l'esprit faiblit devant ces bizarreries sans nom, pourquoi ne se vengent-ils pas ?

« Pourquoi Malo de Treguern garde-t-il le silence, lui qui sait tout ? Pourquoi cette jeune fille étrange qui semble ne rien ignorer – Valérie – ferme-t-elle la bouche ?...

M. Privat s'égarait de plus en plus au travers de ces questions qu'il ne pouvait résoudre, lorsqu'il tressaillit en sentant une main s'appuyer légèrement sur son épaule. La lampe commençait à pâlir devant les premiers rayons du jour. Il se retourna et vit auprès de lui mademoiselle Olympe de Treguern.

– Valérie ! s'écria-t-il, je désirais votre présence !

– Chut ! fit la jeune fille, qui mit un doigt sur sa bouche, la comtesse Torquati est là.

– Geneviève... Dans la chambre de Tanneguy ?

– Je n'ai pas eu besoin de lui montrer le chemin, répliqua Olympe de Treguern avec un mélancolique sourire qui la faisait plus belle.

Comme M. Privat allait reprendre la parole, elle l'arrêta d'un geste et dit :

– Je vous ai entendu. Vous voulez me demander pourquoi toutes ces victimes ont oublié le soin de la vengeance ? Vous ne savez donc pas qu'elles ont fait plus encore ? Le chemin du meurtrier était rempli d'obstacles ; ces obstacles ont disparu devant ses pas.

– En effet ! balbutia le petit homme.

– Et, après le crime commis, est-il jamais resté une trace ? N'y avait-il pas toujours une main mystérieuse qui venait enlever le cadavre et laver jusqu'aux traces du sang ?

– C'est vrai ! dit encore le petit homme.

Olympe de Treguern le regardait en face.

– Qu'ils soient morts ou vivants, dit-elle, ils marchent vers un but, et malheur à qui se mettrait en travers de leur route ! On m'avait dit une fois, à moi : Choisis entre ton frère Tanneguy et ton fiancé Stéphane. Mon cœur se révolta et je refusai, dans mon orgueil ; je voulus les sauver tous les deux l'un par l'autre ; l'un par l'autre, j'ai failli les perdre tous les deux !

– Moi qui n'ai ni fiancé, ni frère... commença monsieur Privat.

Valérie fit un pas, et sa main s'appuya sur son épaule.

– Vous nous avez aimés, prononça-t-elle lentement, et, sous le caprice de votre curiosité, il y a je ne sais quel dévouement chevaleresque. Mais déjà deux ou trois fois, sans le savoir, vous avez entravé la route de ceux que je sers. S'ils vous trouvaient encore sur leur chemin, je ne pourrais plus vous sauver.

– Croit-on me faire peur ? s'écria le petit homme prompt à se cabrer.

– Et vous ? demanda Olympe sans perdre son calme, voulez-vous empêcher que justice soit rendue ? Vous en savez assez pour me croire quand je vous dirai qu'à certaines situations, s'éloignant par trop des rainures de la vie commune, les issues ordinaires – les issues légales – sont fermées. M. de Feuillans sortirait peut-être vainqueur d'une bataille judiciaire où nulle preuve matérielle ne militerait contre lui.

– Peut-être ! fit le petit homme qui se redressa tout vaillant à l'idée de cette lutte. On ne sait pas.

Les yeux d'Olympe brillèrent.

– Ils n'ont pas combattu et souffert vingt ans, dit-elle, pour arriver à se dire : *Peut-être !* Ce n'est pas la probabilité qu'il leur faut désormais, c'est la certitude.

« Je suis Treguern, reprit-elle après un silence et pendant que M. Privat réfléchissait, mon frère Tanneguy, qui est là, et que j'aime, ne saura pas quelles mains ont bâti ce palais splendide où va revivre en lui la grandeur de notre nom. D'autres pourront cacher leur tristesse dans la retraite : lui, notre Tanneguy, sera heureux et sera glorieux ! Écoutez-moi – et tandis qu'elle parlait ainsi, sa belle taille se redressait si fière que M. Privat, subjugué, la contemplait avec admiration et respect ; écoutez-moi, si j'ai mal fait, que Dieu me juge ! Les regards de la justice humaine feraient évanouir comme le souffle d'un génie malfaisant, les magnificences de notre rêve. Je ne veux pas de la justice humaine !

– Mais, objecta M. Privat qui hésitait, vous êtes bien jeune, Valérie ! on a pu vous tromper !

– Ils sont quatre, maintenant, répliqua Olympe de Treguern, parlant comme si son interlocuteur eût connu le fond du mystère : quatre, depuis cette nuit ; ces quatre hommes ont fait un pacte ; chacun d'eux veut pour soi la vengeance et pour leur chef – pour Treguern – ils veulent ce grand pouvoir que la richesse seule peut donner sur la terre. Le lendemain de la victoire, leur intérêt peut les faire ennemis ; ce jour-là, je serai prête pour la lutte. En attendant, êtes-vous avec nous ou êtes-vous contre nous ?

M. Privat réfléchit un instant, puis il dit :

– Que faut-il faire ?

Olympe de Treguern lui tendit la main.

– Pour toucher cette somme énorme, à laquelle M. de Feuillans a droit par son contrat, répondit-elle, il y aura des difficultés de plus d'une sorte. Les protections ne nous manquent pas et le gouvernement lui-même nous soutiendra au besoin ; mais vous pouvez nous servir mieux qu'un autre, vous qui vous êtes mis dès longtemps en rapport avec la compagnie anglaise. La première chose à faire est d'arriver à mettre entre les mains de M. de Feuillans les vingt millions qui lui sont dus. Il le faut !

M. Privat secoua la tête.

– On ne peut plus rien contre un homme qui a vingt millions ! dit-il. Prenez garde !

– Avec les moyens humains, c'est vrai, murmura Olympe de Treguern, mais ceux qui ne sont plus de ce monde ont d'autres armes.

Dans la petite chambre toute nue où Tanneguy dormait sur son pauvre matelas, les premiers rayons du soleil entraient. La comtesse Torquati, belle de son émotion et de cette immense joie des mères, était penchée au-dessus du lit et contemplait Tanneguy dans le recueillement de son amour. De temps en temps, ses yeux se tournaient vers le ciel avec une reconnaissance passionnée.

Elle se croyait seule. Mais de l'autre côté de la porte vitrée qui servait de clôture à la cuisine, Étienne le Manchot, était agenouillé dans la poussière et regardait à travers les larmes qui lui emplissaient les yeux.

On eût dit que son âme passait dans son regard et s'élançait vers cette femme penchée au-dessus du front de Tanneguy endormi. Sa voix tremblante murmurait des paroles sans suite, parmi lesquelles revenait toujours un nom prononcé avec une tendre vénération :

– Geneviève ! Geneviève !

XVI

L'octave de l'Assomption

À Paris, maintenant il faut un an et plus pour régler une assurance sur la vie. C'est le progrès. À Londres, en 1820, il ne fallait qu'un jour. C'était l'enfance de l'art.

Depuis une semaine, deux cents ouvriers arrivés de Nantes et de Rennes travaillaient jour et nuit au Château-sans-Terre. Chaque matin, on voyait venir de pleines charretées de tentures en velours avec de belles franges de soie, des meubles tout en or, à ce que disaient les bonnes gens d'Orlan, et plus de girandoles à cristaux qu'il n'en eût fallu pour éclairer la Grand'Lande ! On n'aurait jamais cru qu'il se trouvât tant de belles choses dans l'univers.

Et tout cela montait vers le palais qui avait remplacé l'ancien manoir. Et quand on interrogeait les voituriers ou les tapissiers, ceux-ci répondaient invariablement, comme s'ils eussent voulu refaire l'histoire du marquis de Carabas avec un autre nom !

– C'est pour M. le comte Gabriel de Treguern.

Les bonnes gens du bourg d'Orlan ne demandaient point qui était ce comte Gabriel ; ils s'en retournaient chez eux envoyant tout autre chose que des bénédictions à l'adresse du *cloarec* d'autrefois, qui couronnait son œuvre de spoliation en volant jusqu'au nom de ses victimes.

Mais en passant devant la porte ouverte de Château-le-Brec, où douairière tremblait la fièvre de vieillesse, ils changeaient de visage et prenaient un air riant : car ils sont ainsi, les bonnes gens de Bretagne : la peur les dompte et on les prend souvent à caresser le diable.

Douairière avait fait rouler son grand lit à rideaux de serge brune au-devant de la porte, pour avoir un peu de soleil ; il y avait bien des jours qu'elle restait là, les bras en croix sur sa couverture, immobile autant qu'un bloc de pierre. Son visage rude et méchant ressortait sous la blancheur de sa coiffe, et l'on savait bien que ce n'étaient point des prières qui tombaient de ses lèvres tremblantes.

Une fois, le saint recteur de la paroisse d'Orlan était venu pour lui parler du ciel ; elle lui avait défendu de passer le seuil de sa porte. Ce jour-là, son valet d'écurie, sa chambrière et tous ses laboureurs l'avaient abandonnée, car chacun sentait qu'elle avait déjà les deux pieds dans l'enfer.

Ce jour-là, Mathelin lui-même, le pâtour, qui la servait depuis vingt-cinq ans, noua son paquet au bout d'un bâton, secoua la poussière de ses guêtres et s'enfuit. Il n'y avait plus de place pour un chrétien dans la maison de cette réprouvée.

Quoiqu'elle fût riche encore, quoiqu'elle possédât toujours le moulin de Guillaume Féru sur la Lande, le pâtis au bord de la rivière, de bons prés bien gras, des clos, des futaies et sa ferme de Château-le-Brec, douairière n'aurait eu personne pour lui fermer les yeux sans Marcelle, la pauvre petite qui avait été élevée avec notre Tanneguy.

Mais Marcelle ne s'était point sauvée, bien qu'elle fût aussi bonne chrétienne que le valet d'écurie et la chambrière, que les laboureurs et Mathelin le pâtour. Marcelle restait, forte de sa piété même ; Marcelle soignait la vieille femme avec un dévouement angélique, et l'idée ne lui était point venue que Dieu pût la punir de son charitable labeur.

Douairière la payait en invectives et en sarcasmes. Demi-morte qu'elle était, elle savait encore frapper le cœur de la pauvre enfant à l'endroit vulnérable, et ses lèvres paralysées trouvaient souvent la force de s'ouvrir pour jeter à Marcelle ces mots impitoyables :

– Ton ami Tanneguy est parti pour toujours. Il t'a oubliée et tu ne le reverras plus !

Marcelle s'en allait pleurer dans sa chambrette, au pied d'une petite image de la Vierge que douairière Le Brec ne connaissait pas.

C'était l'octave de la fête de l'Assomption. En revenant des vêpres, les paysans du bourg d'Orlan virent passer sur le chemin qui traverse la Grand'Lande une véritable procession de voitures. Il y en avait depuis le moulin de Guillaume jusqu'au chemin des Troènes. Ils se rangèrent des deux côtés de la route pour regarder cela. À ceux qui demandèrent ce que c'était, il fut répondu :

– C'est M. le comte Gabriel de Treguern qui vient demain habiter son château et qui se fait précéder par ses équipages.

Il était donc plus riche que le roi, ce comte Gabriel de Treguern !

Oui, certes, et bien plus riche ! c'était le maître à tous ; le pays lui appartenait depuis l'Oust jusqu'à la Vilaine. Il avait acheté au prix qu'on avait voulu vendre toutes les terres composant le domaine du grand chevalier Tanneguy. C'était à lui maintenant que tous les métayers du bourg d'Orlan devaient payer la rente. Aussi parlait on de lui avec prudence, car il faut vivre et garder le pain de sa famille.

Pendant que les voitures passaient, le père Michelan dit en clignant de l'œil et en branlant sa tête chenue :

– Voilà un bon temps, mes garçailles, pour faire grainer le blé noir ! ah ! dame !

– Quant à ça, oui, répliqua Mathelin du même air mystérieux, quoique un peu de pluie ne ferait pas de mal aux pommiers qui sont sur le haut pays.

– Ni aux prés, pour sûr, ajouta Toinette Maréchal, sa femme, le regain sèche que ça fait pitié !

– Ah dame ! ah dame ! fit Michelan le patriarche, en tirant le fausset de sa tabatière en corne de bœuf, on ne peut pas demander aujourd'hui des saisons comme autrefois. Ça languit, et, quand on n'a que demi-mal, il faut encore être content. De faillies pommes comme celles que nous pressons maintenant, et qui n'ont plus que des pépins et la pelure, nous les aurions jetées au fumier en l'année de mon mariage !

Tout ce qui dépassait la cinquantaine approuva du bonnet ; les jeunes gens se consolaient en songeant que le monde se guérirait peut-être de son mal de langueur, et qu'avant de mourir ils reverraient des pommes aussi grosses qu'au bon temps jadis.

La dernière voiture tournait le coin de la route : les paysans se rapprochèrent et le masque qui couvrait tout les visages tomba. Il y avait là maintenant un mécontentement général et visible, un vague besoin de révolte, avec le contingent obligé de superstitieuses terreurs.

– Si ça n'est pas criant ! dit Mathelin en fermant ses gros poings robustes.

– Chut ! fit le père Michelan, qui jugeait le bruit des roues trop rapproché encore.

Mais les ménagères avaient retenu assez longtemps leurs

langues.

– C'est honteux ! s'écrièrent-elles en chœur.

– Un sans-nom !

– Un abbé défroqué !

– Un va-nu-pieds, que nous avons vu courir par les chemins avec des sabots !

Le père Michelan s'assit au bord de la route, sur la bruyère, et l'assemblée l'entoura. Le jour commençait à baisser.

– Nous parlions des saisons qui changent, dit le vieillard d'un accent rêveur, – et les hommes donc ! Vous souvenez-vous de celui qu'on appelait le bon avocat de Redon ?

– Privat ! M. Privat ! s'écria le chœur.

– Qui défendit le pauvre Étienne sans bras pour l'amour de Dieu ! ajoutèrent quelques voix.

Et l'ancien sergent Mathurin dit en s'approchant :

– Une digne âme, ou je ne m'y connais pas, mon oncle !

– Eh bien ! Mathurin, mon neveu, tu ne t'y connais guère, reprit le vieillard avec amertume, je te dis que les hommes changent. C'est ce Privat qui est maintenant le *factotum* du Gabriel.

La foule se récria d'une seule voix.

– Aussi vrai que je vous le dis, continua le vieux métayer en s'animant, c'est ce Privat qui a acheté et payé pour le compte du faux prêtre toutes les pièces de terre composant l'ancien domaine de Treguern.

– Est-ce bien possible ? fit-on à la ronde.

– Et pourquoi non ? dit Vincent Féru qui, en vieillissant, était devenu de plus en plus philosophe, puisqu'il n'y a plus de Treguern !

Le vieux Michelan le regarda en face.

– Fanchette était ta belle-sœur, murmura-t-il. Si Fanchette vivait encore, elle te dirait : Tu mens, ou tu te trompes !

Vincent Féru haussa les épaules et répliqua :

– Fanchette ne savait plus distinguer sa main droite de sa main gauche, bon homme. Je sais bien de quoi vous voulez parler : c'est cela qui a fait le malheur de Fanchette. Treguern a toujours porté malchance à ceux qui l'ont approché !

– Toi, Vincent Féru, dit l'ancien sergent Mathurin, tu vas te taire !

– Ou tu diras pourquoi ! ajouta le pâtour Mathurin en lui mettant sa large main sur l'épaule.

Le chœur des métayères donna de la voix pour approuver cette double exécution. On entendait de tous côtés cette parole, répétée par le vieux et par les jeunes :

– Treguern était bon maître !

– Et de ces deux enfants-là qui ont vécu parmi nous et qui sont partis, ajouta le père Michelan, il y en avait un au moins qui était Treguern !

– Lequel ? demanda Vincent Féru d'un ton provocant.

– Celui qui habitera un jour cette belle maison qui est là-bas, répliqua le vieux métayer en étendant sa main vers la forêt. Il faut des nobles dans les châteaux, et l'air qu'on respire entre les murailles du manoir de Treguern étouffera le neveu de la sorcière Le Brec.

Il y eut un silence, et un frissonnement ému courut dans le groupe, car le vieillard avait parlé ainsi d'un accent prophétique. Il le sentit lui-même, et dans l'excès de sa prudence, il regretta peut-être de n'avoir pas continué à discourir sur le blé noir qui graine ou sur la décadence des pommes. Mais l'élan était donné ; il eût été désormais impossible de changer brusquement le cours de l'entretien.

La fameuse fidélité bretonne existe. En dehors de ce sentiment honorable que les poètes nationaux ont exagéré peut-être, il y avait chez les paysans du bourg d'Orlan une foi superstitieuse et robuste en l'avenir de Treguern. Les prophéties n'étaient-elles pas là ?

Il y avait autre chose encore. À raison ou à tort, le paysan breton abhorre la classe moyenne ; il ne connaît au-dessus de lui que le noble. Le parvenu vivant dans les villes lui est indifférent ; le parvenu qui achète les châteaux lui est odieux. Il voit là-dedans je ne sais quelle punition divine frappant toute la contrée ; il se regarde comme déchu par cela même, et le manoir *usurpé* par un bourgeois est, pour lui, un manoir maudit.

Il généralise trop. L'instinct ne peut être toujours juste. Le paysan breton ne croit pas aux exceptions : il voit l'orgueil brutal au lieu de la fierté, l'avarice marchande au lieu de la grandeur. La piété même du bourgeois lui semble hypocrisie. Le luxe qu'il admirait chez son seigneur, il le déteste chez le nouveau venu. Pour les paysans du bourg d'Orlan, le soi-disant comte Gabriel n'était pas seulement un prêtre parjure, il représentait encore la victoire détestée de l'argent sur la noblesse.

Aussi, n'y avait-il pas là, sur la Grand'Lande, dix individus qui n'eussent été prêts à prendre au besoin la faux et la fourche pour soutenir les vieux droits de Treguern. Et les paroles hostiles se croisaient, et les espoirs vivaces se faisaient jour.

– Est-ce un hasard, cela ? demandait Mathelin le pâtour en gesticulant comme un possédé. Est-ce un hasard qui cloue toutes les nuits l'écusson de Treguern à la porte du Château-sans-Terre ? Les gardiens ne manquent pas, je pense ! Il y a là deux cents ouvriers qui veillent du soir au matin. Et le coup n'a pas raté une fois : quand le soleil se lève, on voit toujours le voile noir, semé de larmes blanches, qui se balance au-dessus du portail !

– Hier, à la brune, dit Toinette Maréchal, je revenais de confesse, et j'ai été obligée de passer devant la porte de la Le Brec. Elle avait le *grolet*. J'ai continué ma route en me signant sans la regarder ; mais, malgré moi, parmi ses plaintes, j'entendais qu'elle disait : Il reviendra ! il reviendra !

– Il reviendra ! il reviendra ! répétèrent les gars et les filles. On a ouï des voix à la Pierre-des-Païens !

– Et j'ai vu la lueur rouge aux crevasses de la Tour-de-Kervoz, ajouta Mathelin.

– Tout ça n'est rien, les enfants, dit le vieux Michelan, qui prit un air plus grave et découvrit sa tête chauve ; savez-vous ce qu'il y a derrière ces planches qui cachent une partie du chœur de la paroisse ?

– Non, fut-il répondu ; qu'y a-t-il ?

Le vieillard étendit le bras vers le lointain de la lande où s'élevait ce monument druidique connu sous le nom des Pierres-Plantées.

– Ce n'est pas la main des hommes qui a dressé là ces roches, prononça-t-il lentement ; à l'heure où nous dormons, les esprits veillent. Vous vous souvenez bien du tombeau de Tanneguy, que nous vîmes s'en aller pierre à pierre ? Le tombeau de Tanneguy fut neuf semaines à s'en aller ainsi – et le neuvième dimanche il n'y avait plus qu'un trou plein de poussière à la place qu'il occupait derrière l'autel.

– Nous nous souvenons de cela, murmura-t-on à la ronde, tandis que les ménagères se signaient.

La nuit se faisait plus sombre. Dans l'assemblée, il y en avait déjà plus d'un et plus d'une qui eussent voulu se voir sous le manteau de la cheminée, à l'abri de la porte close.

– Eh bien ! reprit le vieux Michelan, ce qu'on avait mis neuf semaines à défaire, on l'a refait dans une seule nuit. À la place du trou plein de poussière, le tombeau du grand chevalier se dresse comme autrefois.

– Et qui l'a rebâti ? demandèrent quelques voix timides.

– Qui l'avait démoli ? murmura le vieillard au lieu de répondre.

– Et la cornière qui manquait ?

– La cornière manque toujours.

Un bruit se fit dans les hautes bruyères qui étaient au-delà de la route de Redon. L'idée de fuir vint à chacun ; mais on n'en eut pas le temps, car les ajoncs en fleurs s'agitèrent et l'on vit glisser entre leurs branches une de ces formes vagues qui passent dans les nuits de Bretagne.

À peine l'avait-on aperçue qu'elle était déjà sur la route, à dix pas des bonnes gens. C'était une jeune fille ; elle avait pour vêtement une robe blanche à ceinture flottante.

– Quelqu'un de vous, dit-elle d'une voix si douce et si triste qu'on eût cru entendre l'ange des larmes, quelqu'un de vous sait-il où je trouverais celui qu'on nomme à présent le comte Gabriel ?

Personne n'eut le courage de répondre.

– Je viens pour lui parler de la part de Dieu, poursuivit la jeune fille, et il faut que je le trouve, car le temps presse !

Elle continua sa route, et comme les plis flottants de sa robe disparaissaient déjà dans l'ombre, une voix se prit à chanter dans l'air la complainte des berceuses bretonnes. Le vieux Michelan fit le signe de la croix.

– L'avez-vous reconnue ? balbutia-t-il.

– Que Dieu ait son âme ! dit Mathelin, c'est une morte.

Et le nom de Laurence de Treguern courut de bouche en bouche et quelqu'un dit : « Malheureuse et belle... »

Il s'agissait, cependant, de regagner le village. Ce qui venait de se passer avait glacé tous les cœurs ; on se serra les uns contre les autres ; vous eussiez dit les débris d'une armée qui va tenter une périlleuse retraite. Mathelin le pâtour et l'ancien sergent Mathurin ouvraient la marche avec leurs bâtons à gros bout ; puis venait le bataillon effrayé des ménagères. Fillettes et garçons suivaient sans se pincer aucunement et sans se donner dans le dos ces vigoureux coups de poing qui sont des témoignages de tendresse. Le vieux Michelan formait l'arrière-garde avec l'adjoint au maire et un marguillier, réputé pour le plus vaillant homme d'Orlan.

L'avant-garde fit un grand tour pour éviter la Pierre-des-Païens, où certainement les âmes devaient tenir conseil en cette terrible nuit. Comme ils s'engageaient dans le chemin creux que le *cloarec* Gabriel avait pris, la nuit du 15 août 1800, pour descendre à Château-le-Brec, ils virent quatre cavaliers courir à travers champs et dévorer l'espace comme un tourbillon.

La lune montait au ciel derrière les arbres de la forêt ; sa lueur indécise découpait en silhouette les quatre cavaliers noirs. Celui qui galopait en avant avait une couronne de cheveux plus blancs que la neige. Ils passèrent en silence sur la droite, dans la direction de l'ancienne demeure des Treguern.

Les bonnes gens d'Orlan arrivaient devant la porte ouverte de Château-le-Brec. À la lueur d'une résine, ceux qui osèrent regarder virent douairière Le Brec plus décharnée qu'un cadavre, assise sur son lit et les bras étendus vers la partie du chemin où les quatre cavaliers avaient disparu.

– Ce sont eux ! ce sont eux ! râlait-elle ; j'ai bien reconnu Treguern, que Treguern soit maudit !

De l'autre côté de la couche, la petite Marcelle était agenouillée et priait. Parmi les paysans d'Orlan, il n'y en avait pas un qui gardât une goutte de sang dans ses veines.

Au delà du pâtis, le mur du cimetière s'étendait comme une ceinture blanche autour de l'église, à demi-cachée par la sombre verdure des ifs. La lune montait et les croix de pierre se dessinaient çà et là dans l'herbe. Tout à coup des lumières apparurent aux vitres de l'église. Le clocher tinta un carillon lent et triomphal.

Mathelin le pâtour et l'ancien sergent s'arrêtèrent. Des pas se faisaient entendre à l'autre extrémité du chemin. Un homme s'avança qui dit :

– Faites place à Treguern !

Les bonnes gens se rangèrent des deux côtés du chemin, dociles comme des automates ; désormais c'était un rêve qu'ils faisaient et leurs yeux trompés assistaient au spectacle de l'impossible. L'homme qui s'avançait n'avait point de bras.

– Étienne ! Étienne ! est-ce toi ? balbutia l'ancien sergent Mathurin.

Au lieu de répondre, l'homme sans bras dit impérieusement :

– Chapeau bas pour saluer Treguern !

Jeunes gens et vieillards se découvrirent, bien qu'on ne vît encore personne. Mais en ce moment, à la lueur de la lune qui dépassait la cime des arbres, on aperçut, au milieu de la route, un beau jeune homme qui se tenait fièrement sur un vigoureux cheval. Le cheval marchait au pas, et un homme de grand âge, vêtu d'un long manteau tout brodé d'or, le conduisait par la bride.

Les gens du bourg reconnurent d'un coup d'œil le commandeur Malo Le Madre de Treguern.

Tous les genoux fléchirent, tous les fronts se baissèrent, pendant que le beau jeune homme passait entre les deux haies. Quand on se releva, les cloches se taisaient et l'obscurité régnait derrière les vitraux de l'église.

La lune éclairait au loin la route solitaire et silencieuse. On n'entendit plus rien, sinon l'écho de la voix de douairière Le Brec qui répétait :

– Treguern ! Treguern ! sois maudit !

XVII

La pierre du tombeau de Tanneguy

Était-ce la réalisation de ce songe que Tanneguy avait fait sur son pauvre matelas dans la maison à six étages de la rue Saint-Denis ? Au revers d'un talus, sous les saules du pâtis de Treguern, la jeune fille qu'il avait vue cette nuit-là était demi-couchée dans l'herbe haute. Ses pauvres beaux yeux fatigués gardaient la trace de ses larmes ; elle était pâle, et parmi sa tristesse il y avait je ne sais quel inexprimable effroi. De temps en temps, ses regards se tournaient vers la porte grande ouverte de Château-le-Brec qu'on apercevait à travers le clair feuillage des saules. En ces moments, tout son corps tressaillait. En dedans de la porte, tout près du seuil, il y avait un de ces énormes lits de campagne dont les deux étages servent de couche à toute une famille. Ce lit était vide, et le soleil qui avait dépassé déjà le milieu de sa course frappait de ses rayons les draps froissés et tordus.

Entre ces draps, douairière Le Brec avait passé sa dernière nuit, et le sang de la pauvre petite Marcelle se glaçait encore dans ses veines au souvenir de ces heures épouvantables. Depuis le soir jusqu'à l'aube, la sorcière avait lutté contre une invisible main qui pesait sur sa gorge et qui lui enlevait le souffle. Durant tout ce temps-là, elle avait blasphémé, reniant tout ce que le chrétien adore et appelant à son secours les puissances du mal. Chaque fois que Marcelle voulait prier, un feu s'allumait dans les prunelles de la réprouvée qui disait :

– Enfant, tu me brûles ! Que t'ai-je fait pour me torturer ainsi ?

Ses mains crispées essayaient de déchirer ses draps. Elle prononçait les noms de Gabriel et de Marianne, tantôt avec l'accent d'une tendresse passionnée, tantôt avec une amertume remplie de haine. Puis elle balbutiait en s'affaissant sur son oreiller baigné de sueur :

– Je les ai vus ! j'ai vu les amis de Treguern ressuscité qui passaient : les cloches d'Orlan ont sonné toutes seules. Vais-je mourir assez tôt pour ne point entendre leurs chants de triomphe ?

Quand le petit jour parut, son agitation augmenta. Elle essaya de se lever dans le paroxysme de sa fièvre furieuse, mais ses forces la trahirent.

– Aide-moi ! dit-elle d'une voix que la jeune fille ne reconnaissait déjà plus.

– Où voulez-vous aller, douairière ? demanda Marcelle, qui tremblait.

– Aide-moi ! répéta la vieille femme.

Et Marcelle, subjuguée, ne put qu'obéir. Elle pensait bien que douairière, malgré son secours, ne pourrait sortir de son lit. Il en fut autrement. Douairière parvint à se mettre sur ses jambes chancelantes et décharnées.

– Donne-moi mon bâton, commanda-t-elle.

Et quand elle eut à la main son grand bâton blanc à crosse, elle se redressa tout à coup. Marcelle la vit avec une indicible stupeur passer le seuil de la ferme et marcher dans le chemin. Elle voulut s'élancer pour la guider ou pour la soutenir, mais la vieille femme se retourna et dirigea vers elle le bout de son bâton. Marcelle sentit ses pieds cloués au sol.

– Je vais loin d'ici, dit la Le Brec. Tu ne me reverras plus. Je te défends de prier pour moi.

Le crépuscule était bien faible encore ; au bout de quelques pas, douairière se perdit dans l'ombre du chemin creux qui montait à la Grand'Lande. Ce matin-là, on entendit jusqu'au bourg de Bains le bruit du maître sabbat qui se fit aux Pierres-Plantées.

Et, depuis cette heure où douairière avait quitté sa couche, la petite Marcelle était toute seule, errant autour de la ferme abandonnée. Les bestiaux mugissaient à l'étable, les chiens hurlaient dans les cours ; Marcelle, au désespoir, restait sur l'herbe du pâtis et pleurait.

Elle n'avait d'autre refuge que cette grande maison maudite ; pour s'y abriter, il fallait franchir le lit posé en travers de la porte, et rentrer ainsi toute seule dans ce lieu si plein d'épouvantes, c'était l'impossible. Hélas ! si Tanneguy avait encore été là ! Mais les cruelles paroles de douairière Le Brec restaient gravées au fond du cœur de la pauvre fille, qui répétait parmi ses sanglots : Tanneguy est parti pour toujours !

Dans l'herbe haute, auprès de Marcelle, la brise balançait sur leurs tiges les marguerites des champs blanches et roses. Marcelle en cueillit une sans savoir et ses mains l'effeuillèrent lentement, sans savoir encore. Hélas ! hélas ! ce n'était même plus pour consulter l'oracle. À quoi bon ? « Tanneguy n'était plus là. »

Les feuilles de la corolle tombaient une à une et Marcelle se taisait ; mais en ces moments où le front épuisé de larmes s'alourdit et brûle, les oreilles entendent parfois d'étranges bruits. Marcelle croyait ouïr comme une voix, écho de sa propre pensée, prononçant à chaque feuille qui tombait les paroles consacrées : « Un peu... beaucoup... passionnément... pas du tout ! »

Et quand la dernière foliole tomba, cet écho de son âme éclata comme un cri triomphal en disant encore : « BEAUCOUP ! »

Elle releva les yeux en tressaillant, car c'était bien une voix qui avait parlé auprès d'elle.

– Marcelle ! ma pauvre Marcelle ! dit Tanneguy, qui était là, qui riait et qui pleurait.

Marcelle cacha sa tête dans le sein du compagnon de son enfance et murmura :

– Maintenant, si tu t'en vas encore, je mourrai !

En construisant son magnifique château, Gabriel de Feuillans avait conservé l'aile occidentale de l'ancien manoir de Treguern, qui avait un beau caractère. Cette aile se composait de la grande salle où nous avons vu autrefois l'Anglais compter sur le plancher, aux pieds de Geneviève, l'or apporté dans sa valise, de l'appartement de la bonne comtesse, des chambres à coucher de Filhol et d'Étienne. Au delà de cette dernière pièce, il y avait le corridor secret communiquant avec la ferme de feu bonne personne Marion Lécuyer, par où Étienne, son frère, s'était introduit au manoir, la nuit du quinze août 1800.

Mais l'intérieur de ce corps de bâtiments que nous avons vu triste et désolé avait bien changé, Gabriel y avait accumulé toutes ces magnificences qui méritaient à son château le titre de palais. La grande salle, surtout, qu'il s'était réservée à lui-même, pouvait passer pour un chef-d'œuvre de luxe et de goût excellent.

Le lendemain de l'octave de l'Assomption, le comte Gabriel était assis auprès de son bureau, couvert de titres et papiers de toute sorte. De nos jours, l'immense richesse n'a plus cet étourdissant aspect des trésors antiques ; il suffit de quelques chiffons pour représenter beaucoup de millions ; aussi n'aurons-nous point la peine de décrire le trésor du comte Gabriel, qui aurait tenu à l'aise dans la poche de votre redingote. C'étaient des liasses de banknotes anglaises et un assez volumineux paquet composé de contrats de vente. Ce paquet faisait de Gabriel le plus riche propriétaire de Bretagne.

Dans l'embrasure d'une croisée, Mme la marquise du Castellat, berçant entre ses bras dodus son chien mouton, s'étendait sur les coussins d'une chaise longue. Elle avait l'air soucieux. Gabriel, au contraire, était calme dans sa victoire, comme peut l'être l'homme fort qui n'a rien donné au hasard et qui a réalisé seulement la rigueur de ses calculs.

À travers les carreaux de la fenêtre, la marquise jetait ses regards distraits sur les jardins et sur le parc où s'agitait déjà une foule élégante. Car personne n'avait manqué à l'appel de Feuillans vingt fois millionnaire, et, suivant sa propre expression, Paris tout entier avait fait invasion dans les solitudes de la Grand'Lande.

Aussi se préparait-on à traiter Paris suivant ses goûts : une splendide salle de bal s'était élevée comme par enchantement au centre des parterres, et sur la lisière du parc on voyait la frêle armature d'un feu d'artifice qui promettait merveilles.

– Êtes-vous bien sûr de ce M. Privat ? demanda brusquement Marianne de Treguern.

– Je le paie, répliqua Feuillans du bout des lèvres.

– À votre place, reprit la marquise, je m'inquiéterais davantage des rapports qui existent entre lui et Olympe.

– Je ne m'inquiète de rien, dit le comte Gabriel : Olympe est intelligente ; elle doit être ambitieuse, et j'ai vingt millions !

La marquise le regarda, étonnée : ce n'était pas ainsi que Gabriel parlait d'ordinaire.

– Si j'étais homme à craindre quelque chose, reprit ce dernier, j'aurais, en vérité, bien d'autres embarras ! Les fantômes qui vous ont tourmentée si longtemps, Marianne, sont enfin venus jusqu'à moi.

– Ah ! dit la marquise en changeant de couleur, vous croyez à cela maintenant, Gabriel ?

– J'y crois depuis mon enfance, Marianne ; mais je crois aussi à mon étoile, qui est plus forte que les fantômes !

– Ah ! dit encore la marquise.

– Il y a vingt ans, poursuivit Gabriel, que j'ai fait le premier pas dans la voie où je marche. Depuis ce temps-là, une puissance occulte m'a toujours entouré et pressé de toutes parts. Je n'ai jamais passé un seul jour sans que la présence de cette force invisible ne se fît sentir autour de moi, non point pour m'arrêter dans ma route, mais pour me pousser en avant et briser les barrières qui s'élevaient sur mon chemin.

– Le soir de la dernière fête que j'ai donnée à Paris, murmura la marquise, ce M. Privat me dit de vous ce que vous en dites maintenant.

– Je l'entendis, et je compris, Marianne. C'était à moi-même que s'adressaient ces paroles. Depuis lors, j'ai acheté M. Privat comme j'achèterai tout instrument qui ne vaudra pas la peine d'être brisé violemment. Mais je n'avais pas attendu M. Privat pour savoir que mon étoile avait dompté les fantômes et que les fantômes étaient mes esclaves !

– Et cependant, Gabriel, vous leur avez obéi une fois au moins, à ces esclaves, dit la marquise dont le sourire eut une nuance de raillerie.

M. de Feuillans leva le papier qu'il tenait à la main.

– Parlez-vous de cela ? demanda-t-il.

– Je parle de votre testament, répondit Marianne.

Feuillans remit le papier à sa place.

– En voici le double, dit-il ; c'est à cette occasion que j'ai vu pour la première fois les trois êtres fantastiques qui sont liés si étroitement à ma vie. La compagnie anglaise semblait disposée à élever un conflit ; au moment de toucher l'enjeu de cette immense partie, je voyais mes espérances reculer, sinon s'évanouir. C'était la nuit ; la fatigue avait fini par fermer mes yeux. Je m'éveillai en sursaut ; la lampe éteinte laissait ma chambre dans une obscurité profonde. J'entendis une voix qui disait : « Gabriel, tu recevras demain le montant de ton contrat si tu veux disposer de tous tes biens en faveur de l'enfant qui fut baptisé sous le nom de Tanneguy de Treguern, le 16 août de l'année 1800. »

– Notre fils ! s'écria Marianne qui se redressa tout émue sur la chaise longue.

– Je devinai leur erreur, poursuivit Gabriel au lieu de répondre et j'acceptai, après avoir demandé à mes mystérieux visiteurs quels étaient leurs noms. À cette question, trois voix répondirent tour à tour :

– Filhol de Treguern...

– Jérôme Clément.

– Johann-Maria Worms.

La marquise appuya sa tête entre ses mains, en murmurant :

– Ces noms, M. Privat me les avait dits tous les trois !

– Mais l'autre enfant, reprit-elle, celui que nous fîmes passer pour notre fils ? Stéphane ?...

– Celui-là est mort, dit Feuillans qui ne changea point de visage.

Puis il poursuivit :

– Pour achever l'aventure, le lendemain, l'argent de la compagnie anglaise était à mon hôtel.

– Il faut donc qu'ils soient bien forts, ces hommes ! pensa tout haut Marianne.

– Ils seraient faibles contre moi, dit Feuillans avec assurance ; si ce sont des spectres, j'ai mon étoile. S'ils vivent, j'ai vingt millions !

Dans la chambre de feu la bonne comtesse, mère de Filhol, qui était séparée de la grande salle par ce corridor où Étienne avait assisté, vingt ans auparavant, à l'entrevue de l'Anglais avec Geneviève, sept personnes étaient réunies. Celles-là n'étaient pas entrées par la grande porte du château, et le comte Gabriel ne soupçonnait point leur présence.

C'étaient d'abord ces trois personnages que nous avons vus dans le pavillon Louis XV : le comte, le docteur et le marchand de diamants. C'était ensuite Stéphane Gontier, tout pâle encore de sa blessure, qui s'appuyait au bras robuste de Tanneguy. Au dernier plan, Olympe de Treguern et le commandeur Malo se tenaient debout.

Le docteur Jérôme Clément et le lapidaire Johann-Maria Worms avaient dit :

– Pourvu que nous ayons notre part, le reste nous importe peu. Faites vos affaires en famille ; nous vous aiderons suivant la lettre de l'association, s'il y a lieu.

Le comte regardait tour à tour d'un air sombre Tanneguy et Stéphane.

– Lequel est-ce ? murmura-t-il ; je ne crois pas à la voix du sang.

Là porte qui communiquait avec l'ancienne chambre de Filhol s'ouvrit tout à coup et une femme parut, dont les beaux cheveux blonds tombaient en désordre sur sa mante de voyage.

– Ma mère ! s'écria Olympe qui se précipita dans ses bras.

Le docteur et le marchand de diamants prononcèrent le nom de la comtesse Torquati et la saluèrent. Celle-ci ne fit qu'effleurer d'un baiser le front d'Olympe et s'élança vers Tanneguy, qu'elle pressa passionnément contre son cœur.

– Voyez, dit Malo de Treguern.

Le comte secoua sa tête couronnée de cheveux blancs.

– Je ne crois pas à l'instinct des mères, prononça-t-il froidement.

Comme la comtesse lui jetait un regard de reproche, il reprit avec plus de douceur :

– Ne m'accusez pas, Geneviève. J'y croirais qu'il me faudrait encore une autre certitude.

Stéphane et Tanneguy se tenaient par la main.

– Quoi qu'il arrive, nous resterons frères ! dirent-ils en même temps.

Les yeux d'Olympe s'emplirent de larmes. Elle tira un papier de son sein.

– Tanneguy de Treguern, dit-elle en le présentant au jeune homme, voici la page que douairière Le Brec avait arrachée au registre de la paroisse d'Orlan : c'est votre acte de naissance.

Ceci ne parut faire aucune impression sur le comte.

– Il y avait deux berceaux au moulin de Fanchette Féru, prononça-t-il lentement ; avant d'aller au baptême, on les changea, de sorte que le fils de Treguern reçut le nom de Stéphane, et que le rejeton du *cloarec* fut appelé Tanneguy.

La comtesse Torquati fut obligée de soutenir Olympe, qui chancelait, prête à s'évanouir. L'idée tant de fois repoussée que Stéphane était son frère venait de nouveau épouvanter son âme. Le commandeur prit la parole à son tour en s'adressant au comte et dit :

– Ce qu'on vient de vous dire est la vérité, mon neveu Filhol ; j'étais le seul gardien des destinées de Treguern. Quoique j'eusse deviné la substitution, je ne protestai point au moment du baptême, car je savais que plus d'un danger menacerait la vie de l'héritier des chevaliers. Mais, dans la soirée qui suivit le baptême, je me glissai au moulin de Guillaume, et de ma propre main, je changeai encore une fois les berceaux. Comme cela, me disais-je, Treguern portera son vrai nom, mais le faux prêtre et la Le Brec, croyant voir leur sang maudit, respecteront son existence.

Le comte baissa les yeux et resta impassible.

– Il te faut donc encore une autre preuve, mon neveu Filhol ? dit Malo qui lui mit la main sur l'épaule.

– Oui, répliqua le comte sans relever les yeux.

Gabriel avait fait poser partout de grandes glaces contre les lambris.

– Tu disais, l'autre jour, reprit le commandeur Malo, d'une voix basse et plus triste, tu disais que Treguern était tombé à ce point d'avoir perdu ce funèbre privilège qui le faisait jadis deviner les approches de la mort. Tu te trompais, mon neveu Filhol.

Avant que le comte eût le temps de répondre, Malo le saisit par le bras et l'entraîna vers l'une des glaces.

– Regarde ! lui dit-il.

Le comte obéit machinalement ; mais à peine eut-il jeté un regard sur la glace qu'il recula de plusieurs pas, la face livide et le corps tout tremblant.

– N'y a-t-il pas au devant de cette glace, murmura-t-il avec détresse, une tenture noire semée de larmes blanches ?

– Il n'y a rien, répliqua le commandeur.

– Alors, c'est le voile de Treguern qui me cache ma propre image, et je suis condamné à mourir !

Le commandeur inclina la tête en signe d'affirmation.

– Que la volonté de Dieu soit faite ! prononça Filhol, qui se redressa ; je ne méritais pas de voir la renaissance de Treguern !

– À quelques pas de nous, reprit Malo, qui désigna la porte du corridor, il y a un autre homme condamné à mourir. La certitude que tu demandes est là tout près de toi. Ces deux jeunes gens vont regarder et tu ne douteras plus, mon neveu Filhol !

Le comte alla prendre lui-même par la main Stéphane et Tanneguy en leur recommandant le silence ; il les conduisit jusqu'à la porte vitrée qui donnait sur la grande salle. Gabriel était toujours assis devant son secrétaire. Le comte mit Tanneguy et Stéphane audevant de lui et leur dit :

– Que voyez-vous à travers ce vitrage ?

– Je vois M. de Feuillans, mon assassin, répondit Stéphane.

– Où donc ? demanda Tanneguy ; moi je ne vois qu'un drap mortuaire qui descend du plafond au plancher.

Malo prononça tout bas à l'oreille de Filhol :

– Êtes-vous convaincu ? il est Treguern, puisqu'IL VOIT LE VOILE...

Filhol baisa Tanneguy au front et lui dit, tandis qu'une larme roulait lentement sur sa joue :

– Treguern, mon fils chéri, oublie ton père, pauvre pécheur, et ne te souviens que des bons chevaliers, tes aïeux, qui vivaient, qui mouraient pour Dieu et le roi.

Puis il s'agenouilla sur le carreau et demanda un prêtre pour bien finir.

De l'autre côté de la porte vitrée, ce n'était plus la marquise du Castellat qui était avec le comte Gabriel. Le nègre Congo avait remplacé la marquise. Il tenait à la main un pistolet américain à quatre coups.

– Les reconnaîtrais-tu bien tous les trois ? demandait Gabriel.

– Oui, maître, répondait Congo.

– Au moment où le feu d'artifice partira, trois explosions de plus ou de moins ne seront pas remarquées. Et dans ces sortes de réjouissances il est rare qu'on n'ait pas à déplorer quelque malheur. Vise avec soin et qu'ils soient bien morts, cette fois.

Congo branla sa tête noire en souriant.

– Et j'aurai les dix mille francs ? dit-il.

– Tu auras tes dix mille francs, ce soir même !

Dans les jardins embaumés du château de Treguern, les hôtes parisiens erraient ; la nuit était venue : c'était le beau moment de la fête ; le baron Brocard, Champeaux et bien d'autres se moquaient des trois Freux, qui n'avaient pas voulu se montrer, bien qu'on les appelât à grands cris. À cette occasion, Champeaux essayait vainement de raconter la fameuse histoire qu'il tenait de sa tante.

Mais malgré l'absence des trois fantômes, le surnaturel avait sa petite part dans la fête donnée par le nouveau comte de Treguern. Au milieu d'un groupe, Noisy le Sec parlait et narrait une aventure dont il prétendait avoir été lui-même le témoin.

C'était derrière le château, sur la lisière de la forêt, aujourd'hui même. Feuillans, fuyant un instant la foule, se promenait là, tout seul. Noisy se dirigeait vers lui pour le complimenter sur les magnificences de sa demeure, lorsqu'une femme vêtue de blanc était sortie des profondeurs de la forêt. La brune confondait déjà les objets ; mais Noisy prétendait avoir reconnu parfaitement le beau visage de Laurence de Treguern, ainsi que sa douce voix, lorsqu'elle avait dit à Gabriel :

– Songe à Dieu ! tes minutes sont comptées !

Ce Noisy avait toujours de ces histoires ! La première des trois fusées qui devaient donner le signal du feu d'artifice traça dans l'air un rapide sillon d'étincelles. Quand la fusée s'éteignit, l'anecdote lugubre de Noisy le Sec était déjà oubliée.

Tout le monde se précipita vers le parc, Feuillans, qui n'était point encore sorti du château, devait ouvrir le bal avec Olympe, sa belle fiancée, tout de suite après le feu d'artifice. On venait de voir passer Olympe de Treguern au bras du commandeur Malo. Autour d'eux s'agitait le petit avocat Privat, dix fois plus affairé qu'à l'ordinaire.

Au dernier étage du château, régnait une large frise. Deux hommes se montrèrent à la plus haute fenêtre située juste au-dessus du perron. L'un de ces hommes n'avait point de bras.

– Mathurin, dit-il à son compagnon, c'est l'heure ; j'entends le faux prêtre qui descend le grand escalier. Mets la corde entre mes dents et sauve-toi. Ce qui va suivre n'est point ton affaire.

– Je ne connais pas ton dessein, mon frère Étienne, répliqua l'ancien sergent Mathurin, et je me lave les mains de ce qui peut arriver.

Il mit entre les dents d'Étienne une corde terminée par un nœud coulant qui contenait une pierre. Étienne descendit sur la frise, où il se tint en équilibre. À ce moment même le comte Gabriel paraissait à la porte du vestibule et donnait le signal de tirer la troisième fusée.

Étienne fit un mouvement de la tête ; le comte Gabriel poussa un grand cri et s'affaissa sur lui-même, roide mort. Une pierre, tombant de la frise, venait de lui fracasser le crâne.

La lisière du parc ressemblait à un incendie ; au milieu des mille feux qui se croisaient de toutes parts, trois détonations plus fortes retentirent. C'était le nègre Congo qui gagnait ses dix mille francs en brûlant trois cervelles ; Jérôme Clément, Johann-Maria Worms et Filhol n'étaient plus.

Une voix triomphale alors s'éleva et dit :

– Treguern est mort ! c'est la troisième fois ! Vive Treguern !

Quand on ôta les planches qui cachaient le tombeau du grand chevalier Tanneguy, dans le chœur de l'église d'Orlan, on put remarquer que la table de granit était entière et que l'angle brisé ne manquait plus. Étienne tout seul aurait pu dire à quel usage avait servi cette pierre avant de reprendre sa place, et comme s'était accomplie la prophétie.

Il y eut trois tombes nouvelles au cimetière ; deux toutes simples portant les noms inconnus de Jérôme Clément et de Johann-Maria Worms ; la troisième en beau marbre noir portant l'écusson des chevaliers avec le nom de Filhol-Aimé-Tanneguy le Madre, comte de Treguern.

Vers ce temps, les religieuses ursulines de Redon reçurent dans leur communauté une jeune fille qui prit le voile sous l'invocation de Sainte-Laurence.

Le commandeur Malo avait disparu, mais le jour où le jeune comte Tanneguy épousa Marcelle, la jolie, la simple paysanne, on vit comme de joyeuses lueurs danser toute la nuit derrière les crevasses de la Tour-de-Kervoz.

M. Privat était de la noce. Il ne demandait plus la cause de cette protection mystérieuse qui avait si longtemps entouré Gabriel de Feuillans, mais vous l'eussiez pris pour une âme en peine. Il était veuf, en effet ; *son affaire* avait rendu le dernier soupir.

Ce fut une vraie fête, ce mariage. Tanneguy était bien aimé dans la contrée ; il prit Étienne, le pauvre mutilé, pour un de ses témoins. Puis, avant de monter à l'autel, il mit la main de Stéphane dans la main d'Olympe émue et bien pâle, en disant :

– Quoi qu'il arrive, nous resterons frères !

FIN

Milton Keynes UK
Ingram Content Group UK Ltd.
UKHW010706050923
428087UK00011B/871